新 潮 文 庫

その街の今は

柴崎友香著

新 潮 社 版

8677

その街の今は

I

ゆっくりと、だけど決して停まらずに進むタクシーがずいぶんと道路にはみ出した看板と自転車をどうして引っかけてしまわないのか、感心して眺めていた。羊羹《ようかん》みたいに黒く光る車体には、さっきまでいた店の看板の白と青のライトが映って流れていった。なんの音が、というわけではないのに騒々しくて、夜の東心斎橋の感じだと思った。エアコンで冷え切った店から出てきたばかりなのに、もう肌には汗が滲《にじ》みかけている。

「すごいねえ、あの頭」

放置自転車の隙間《すきま》にぼんやり立っていた智佐《ちさ》が気の抜けた声で言う。四つ辻《つじ》の向こう側に、紫のシフォンのワンピースを着たたぶんわたしたちよりずっと若い女の子が、すっかり酔ったおじさんたちを見送りに出てきていた。白い胸元を自慢するような彼女は、金髪に近い茶色の巻いた髪を盛り上げて、後頭部が三倍くらいの大きさになっている。

「三面鏡買うたらいいのにね」

智佐が勤めるセレクトショップの同僚のえみちゃんが、やっぱりどうでもいいような口調で言い、わたしも適当に頷《うなず》いたけれど、それ以上誰もなにも言わない。途切れることなくタクシーばかりが通り、油断すると足を轢《ひ》かれてしまいそうだった。角の手前には、まだ蒸し暑いのに黒いスーツを着たホストの一団が、なにか相談している感じで集まっていて、じっと見ているといちばん背の高い一人と目が合った。だけどわたしたちに声を掛けてくる様子はなかった。タクシーと幅の広い銀色のベンツの間を、器用にすり抜けた自転車の女の子はキャミソールにミニスカート、それからビーチサンダルみたいな足下で、もう九月も半分過ぎたのにと思うけれど、それも仕方ないくらいまだじゅうぶんに夏の夜の空気だった。

隣の店の立て看板を挟んで立っている合コン相手の三人の男の人たちは一言もしゃべらず、それぞれ自分の携帯電話をいじっていた。それを横目で見た智佐とえみちゃんが、なにか言いたそうに顔を見合わせた。

　会計をしている百田《ももた》さんがなかなか出てこないので、わたしは肩に掛けているトートバッグを開いた。街灯や看板の光にうっすらと照らされた鞄《かばん》の中には、絵はがきの束が入っていた。昨日、バイト帰りにジュンク堂に寄ったらフェアコーナーの片隅で昔の絵はがきを売っていて、三十枚ほどがひと束で八百円というのが高いような気もしたけれど買ってしまった。だいたいは観光地の白黒写真が印刷されたものので、いちばん上になっていた一枚が使ったあと、つまり宛先《あてさき》と差出人と文章が書いてあって消印が押されていて、それから写真が道頓堀《どうとんぼり》だったので買った。紐《ひも》でしっかりくくられていたので中身を見ることができず、期待に反して他は未使用で、東北や九州の風光明媚《めいび》な場所が多かったのだけれど、大阪の写真を三枚見つけることができた。かなり修整されているから写真というよりそれを元にした絵に近いものだけれど、戦前の道頓堀の中座《なかざ》の前あたりの幟《のぼり》や看板が立ち並んで人が大勢歩いている風景は、なんとなく今のその場所と賑《にぎ》やかさは似ていて、でも建物の密度が違うせいかやっぱりとても昔のように感じた。奈良の誰かから京都の誰かに宛《あ》てられたその文面は、崩し字で書いてあって時候の挨拶《あいさつ》以外読めなかった。今ホストたちが立っている、目の前の角を右に曲がってまっすぐ行くと相合橋《あいおいばし》に出て道頓堀川を渡ると、この写真の場所に出る。写真の中座は空襲で燃えて、その次に建てられた中座も取り壊し中のガス爆発で燃えてしまったけれど。道順を辿《たど》るように看板の光る周りの建物を眺め、また鞄の中でぼんやりと見える葉書を確認した。この葉書を送った人が実際に中座に行ったのかどうかわからないけれど、もしかしたらこの辺まで歩いてきたかもしれない。

「お待たせー」

自動ドアが開くと同時に、百田さんの声が響き渡った。そのうしろから、男側の幹事が百田さんの背中を窺《うかが》うような表情で出てきた。百田さんはわたしたちにお店の割引券を配りながら、酔いの回った大声で言った。

「今日はほんっまにごめんね。まじで申し訳ないわ。この埋め合わせは必ずするから」

すぐ横にいる男の人たちにも当然まる聞こえだったけれど、男の人たちはちらっと目を向けただけだった。幹事を囲んでお疲れさまと言い合ったのを聞いて、この人たちはなにをしにきたんやろうと思った。

「じゃあ、どうも。お疲れさま」

　彼らは、わたしたちに向かっても仕事のような挨拶をぼそぼそと言って、並ぶタクシーと看板の隙間を心斎橋筋商店街の方向へと歩いていった。四人とも似たような、丸くて締まりのない背中だった。

「ごめん。ほんまごめん」

　百田さんが、当てつけるように大きな声でまた謝った。智佐が、男の人たちが歩いていったほうに目をやってから、百田さんの背中を軽く叩《たた》いた。

「百田さんが悪いんちゃうし。……お茶でもしに行く？」

「あー、わたし明日の準備あるから早よ帰らなあかんねん。ごめんね。とりあえず、駅まで出る？」

　百田さんは、ポケットのいっぱいついた黒い革のエディターズバッグを背負うように肩のところに持ち直した。道を譲り合わない窓の黒い車が鉢合わせし、長く鳴らすクラクションが響き渡った。面倒そうな顔で振り返る人と全く見ない人といる。長堀通りへ向かって歩き出すのと同時に、百田さんがまず口火を切った。

「レジで領収書、しかも男四人分で割ってとかややこしいこと言い出してん」

その言葉を合図のようにして、わたしと智佐とえみちゃんがお互いの言葉が重なり合うくらいの勢いで言いたいことを言った。

「まじで？　おごってくれたんやったらまだ許すけど、千円しか差つけへんかったくせに」

「親にしつけられてんちゃう、必ず領収書」

「なにしに来てん。なんで自分からしゃべれへんわけ？　人がせっかく趣味とか聞いたってんのに」

「からっぽやねんて。ほんまに」

「商店街の二代目仲間っていうから、もっとこう、草野球とかやってそうな気のいい兄ちゃんみたいなんかと思ったのに」

「智佐の隣、最悪じゃなかった？」

「唐揚げ口に入れたまましゃべんなー、スカート汚されたー、二万三千円やのにこれ、クリーニング代払えっちゅうねん」

「ごめんね、ほんまに。紹介したうちの会社の子、しばいとくから。歌《うた》ちゃん、初めての合コンがいきなりこれで、災難やったねえ。次は必ず、かっこいいのを連れてくるから」

　百田さんがわたしの腕を引っ張り、大げさに謝った。大柄でぽっちゃりした百田さんの腕は、湿気の多い夜の空気とお酒のせいで生温かく感じた。

「多少びっくりしたけど、なんていうか、いい経験になった、かも」

「こんな経験せんでいいよ。大丈夫、ここまでひどいのは五回に一回あるかないかやから」

「百田さんて、どのぐらい合コン行ってはるの？」

　前を歩いていたえみちゃんが笑った。えみちゃんは人並みに、今まで五、六回行ったことがあると言っていた。智佐は二回目でわたしは初めてだった。誕生日の近い智佐と、先月二十八歳になってすぐにごはんを食べに行ったとき、わたしらこのままやったらあかんと思うからこれからは合コンとかも行ってみようよ、という話になった。智佐が働くセレクトショップのお客さんの百田さんは、合コンのセッティングをするのが趣味で、前から智佐を合コンに誘っていた。コンピュータのサポートデスクのインストラクターをしている百田さんは、合コンがストレス解消なんだとしょっちゅう言う。

「次はこんなんじゃないから。割といい会社やし、体育会系らしいよ」

「なんでもいいから、普通の。まともな人」

智佐が疲れた声で言い切り、えみちゃんもわたしも頷いた。来週、次の合コンがもう決まっていた。

大阪の街は碁盤の目状になっているから、規則正しく交差する道が現れる。東西方向が通り、南北が筋と名前のつくことが多いまっすぐな道を北に向かって歩いて、三つほど四つ辻を越えると、ようやく水商売の人たちもタクシーもまばらになり、わたしたちの話し声が響いて聞こえる程度に静かになった。最近オープンしたらしいイタリア料理のお店から、男女のグループがぞろぞろ出てきた。合コンかもしれない。

「百田さんの彼氏って、合コンばっかり行ってても怒らへんの」

「全然。興味ないのかも。自分も行きたいとか思わへんみたいやし。まあ、言える立場とちゃうけどね」

「完全に居候《いそうろう》なん？」

「いちおう、ちょっとは払ってもらってる」

いつの間にか、智佐と百田さんが前を歩いている。わたしの斜め後ろにいるえみちゃんは、どこからか電話がかかってきて話しはじめた。間口の狭い雑居ビルの隙間の路地から白い猫が飛び出してきて、素早く道路を横断して路上駐車のワゴン車の下に潜って消えた。そこには古い二階建ての木造の家が、駐車場に挟まれるようにして何軒か残っている。何回か改装を重ねて飲食店になっているところもあるし、雨戸が閉まったまま人の気配がないところもある。その古い瓦《かわら》に水銀灯の白い光が反射して、水分の多い空気に拡散するのかぼんやりと空に向かって明るい。

「いくつやったっけ？　百田さんの彼氏」

「二十五、あー、六かな、もうすぐ」

「じゃあ五歳下？　話、合えへんかったりせえへん？」

背の低い智佐はビーズ刺繡《ししゅう》のバッグと新作の洋服が入った大きな紙袋をぶらぶらさせ、百田さんを見上げるように聞いていた。二人の酔いの混じった声が、夜の通りに響いていた。

「たまーに。智佐ちゃんが前つき合ってた人、十歳ちゃうかったやん」

「わたし、上は二十歳離れてても平気やけど、下って全然あかんねん」

「べつにわたし、下しか好きじゃないとかとちゃうねんで。前は三つ上やったし」

百田さんは振り返ってわたしとえみちゃんがついてきているか確認した。しっかり肉の詰まっている腰に、わたしや智佐は穿《は》かないオフィス仕様の黒いパンツが似合っていた。

「まあ三つ上のその人にも、結構いい年の人にも、お母さんみたいとか言われたなあ。それって、褒めてないよね」

「今の彼氏も言うてんの？」

「こないだ間違えて、ちゃーちゃんって呼ばれてさ、まさかの浮気かと思ったら、十歳上のお姉ちゃんのことそう呼んでるらしくて」

智佐が一度見たことがあると言っていた写真の専門学校に行っているという百田さんの彼氏をぼんやり想像しつつ、携帯電話を鞄から取り出した。片手で開いて見ると、待ち受け画面にしているサイケデリックな服を着た三十歳ぐらいのミック・ジャガーの上に23:14と数字が並んでいた。えみちゃんは電話に向かってさっきの男の人たちの文句の続きを言っている。オタクのほうがましかも、とにかくもうやる気がないねんって、人生に対して。えみちゃんの電話の小さなライトが七色に順に光の色を変えていくのが、その長い髪の隙間から見えた。蚊に刺されてしまったのか、サンダルの足首のあたりが痒《かゆ》くなってきた。顔を上げると、建物から突き出た看板が重なり合うずっと向こうに、長堀通りの信号が赤く光っていた。東西に向いた道に出るたび人通りが多くなって、まだそんなに夜遅くないと思える。金曜日だし。

「おー、お疲れっす。なにしてんの？」

鰻谷《うなぎだに》に出る手前で、智佐のところに自転車が急停車した。智佐の友だちで、わたしも何度かクラブや飲み屋で会ったことのある、確か中古レコード屋で働いている男の子で、自転車にまたがったままわたしにも気がついて、軽く頭を下げた。中途半端《はんぱ》な丈のパンツの裾《すそ》から、タトゥーのワニが覗《のぞ》いていた。

「合コン帰り」

「智佐ちゃん、そんなん行くの？　男前おった？」

「最低最悪」

全く愛想のない声と顔で言ったので、彼は軽く笑うだけでそれ以上は聞かなかった。

「今からプレート行くねんけど、いっしょに行かへん？　ほら、前言うてたみなっちとか出るし」

「ああ、フライヤーもろてたわ。歌ちゃん、どうする？　行ってみいへん、ちらっと」

智佐がわたしを振り返ったけれど、さっきまで眠そうだった目がぱっちり開いていて、もう行くって決めているみたいだった。白い軽ワゴンにクラクションを鳴らされ、わたしたちは電柱の脇《わき》へ移動した。電車がなくなると思ったけれど、わたしは答えた。

「行く。このまま帰ったら今日が嫌な日になるし」

「行こ行こ。飲み直そ。えみは？」

智佐はわたしの腕をもうしっかり摑《つか》んでいた。家が遠いえみちゃんは電車があるうちに帰りたいと言って、百田さんと二人で心斎橋方向へ歩いていった。帰りの挨拶にも、今日の合コンは最悪やったねと言うのを忘れなかった。自転車にまたがったままぺたぺたとぎこちなく歩く名前がわからないワニ模様の男の子の後について、智佐とわたしは、狭い上に自転車や看板でいっそう歩きにくい歩道を、鰻谷に沿って東へ歩いた。やっと、夜の風に涼しさの気配が感じられる気がしたけれど、自分の願望かもしれなかった。見上げると建物が迫った道の両側には、鰻を象《かたど》ったオブジェが載った街灯がずっと並んでいる。行政上はもうない地名を残しているその形に気がついたのは五年ぐらい前だったけれど、昔はここは鰻がいる谷だったんだろうか、とても平坦な場所なのに、と、その時も思ったことを思って、またすぐに忘れてしまう。

左方向へ湾曲した階段を地下に降りて重いドアを開けると、緩いリズムの管楽器の音が響いていた。生演奏ではなくて、古いレコード独特のくぐもったような柔らかい音が、少し割れるくらいの大音量で薄暗い空間を満たしていた。

「どうせまだまだやろ」

コインロッカーに荷物をつっこんだ智佐はさっさとバーカウンターに行き、カシスオレンジを頼んだ。オールナイトのイベントだから、十一時スタートと書いてあっても立ち止まらずに歩けるぐらいしか人はいなかった。

「ハイボール」

カウンターの中でソーダが出てくるチューブを操作している痩《や》せた男の子に声を掛けたけれど、聞こえていないみたいだったので、もう一度同じ言葉を繰り返すと、愛想良く、あいよ、と言った。

左側にある学校の教室くらいの大きさのフロアにはまだ人は少なくて、いつもよりゆっくり回っているように見えるミラーボールと青い光に照らされた床を、壁際《ぎわ》に座り込んでいる子たちが眺めていた。そっちには行かないで、カウンターの右奥へ進むと、いちばん奥の半円のソファ席に座っているグループの端にさっきのワニの男の子がいた。

「聞いてえや、こないだのおっさん、まじでめっちゃ腹立つって」

すでに空になりかけたビールのプラスチックカップを握った彼は前置きもなく、無理に開けた隙間《すきま》に座らせた智佐と話し始めた。わたしはちょっと所在なくテーブルの前に突っ立ったまま天井からぶら下がっているライトのオレンジ色のガラスが溶けたような笠《かさ》を見ているふりをしていると、二の腕をつつかれた。

「それ、ええんちゃう？」

振り返ると、緑のキャップを目深《まぶか》にかぶった男の子が目に入った。ソファの反対側の端に浅くもたれて座り、隣のテーブルの下に隠れるようにある小さいスツールを指差していた。

「ああ、ありがと」

わたしは隣のテーブルを囲んでいる女の子ばかりのグループをちらっと見回し、遠慮気味にそのスツールを引っ張って、教えてくれた彼のすぐ横に腰を据えた。曲はいつの間にか、さっきよりも速いリズムに変わっているけれど、こっちのスペースには直接音が届かないようで、人が話したり笑ったりする声のほうが際立って聞こえた。智佐と話している彼と、わたしの横の男の子の間には、女の子が三人窮屈そうに座っていて、カウンターに並んでいる男の子たちを見て内緒話をしていた。

「こんばんは」

今さら思い出したように言った隣の男の子を見た。

「お元気ですか」

その低い声には聞き覚えがあった。キャップのつばの陰になっている、無精髭《ひげ》の生えた四角い輪郭の顔をわたしはじっと見た。自分で感じたよりは短い時間だったと思うけれど、すぐには思い出せなかったことが相手にじゅうぶん伝わってしまうくらいは見た。

「あ、こんばんは」

わたしはほんの少し頭を下げた。お盆のころに、それも智佐と行ったオールナイトのイベントで友だちの友だちかなんかでしばらくいっしょにいた人だった。そういえば、そのときもこんな格好をしていた。紺色の古着っぽいTシャツに裾のすり切れたジーンズに玄関にあったのを適当につっかけてきた感じの黒いサンダル。良《りょう》太郎《たろう》、って呼ばれていた。

「元気?」

前も挨拶《あいさつ》程度の話をしただけなので特に聞きたいこともないのだけれど、せっかくだから聞いてみた。

「……おれ? ああ、うーん、まああっすね」

頭をゆっくり一回転させて考えながら、ほんとうにどっちでもないように、良太郎は言った。首を傾けたときに見えた目は、眠たそうだった。良太郎はそのあとなにも言わないで、それからすぐ前に置いてあるなみなみと入ったビールにも手をつけないで、手をお腹《なか》の前で組んでじっと座っていた。向かいで、智佐と男の子は大声で話し続けている。少しずつ増えてきたお客さんの洋服を眺めながら、良太郎になにか話しかけようか迷っていると、音楽が途切れてフロアのほうから歓声が聞こえた。

「行こうよ。飲まなやってられへんし」

智佐が空になったプラスチックのカップを片手に、わたしの腕を取った。飲まなやってられへんし、と智佐が言うのをこの二か月で何回聞いたやろうと思うと、ちょっと笑ってしまった。立ち上がると、良太郎が顔を上げ、たぶんなんの意味もなくにっと笑って見せた。

カウンターで二杯目のお酒を受け取ってから、人の密度がさっきの倍になったフロアに入った途端に、ホーンセクションとドラムの音が同時に響き渡った。

2

まだじゅうぶん強い太陽の光が、空を覆《おお》った雲を通り抜けてじわじわと暑かった。

シュガーキューブスの店先で、黒板の「本日のランチ」を消して「本日のおすすめスイーツ」に書き直しているあいだも、その温度のせいで眠気とだるさが増してくるようだった。なんとか遅刻せずに来たけれど、胃が気持ち悪くて朝から水しか飲んでいないし、瞼《まぶた》の腫《は》れ具合で飲んだ量がわかると店長の大西さんに言われるし、今日は勤務時間が夕方まででよかったと思った。智佐につき合う程度に飲んでいたはずだったのに、途中から記憶が曖昧《あいまい》で、タクシーに乗ったのは覚えているけれど何時に家に着いたのかはわからない。そのうえ、携帯電話には知らないアドレスの誰かとこのカフェで会う約束をしているようなメールが残っていた。電話番号も名前も登録した形跡がなく、知らない人だったらと思うと確かめるメールを送るのもためらわれた。前に、会ったばかりの人に電話番号を教えて毎日夜中に電話をかけられたことがあって気を付けようと思っていたから、飲み過ぎた自分に落ち込んでしまう。

「毎度」

向かいのビルの一階の設計事務所から出てきた常連のおじさんが愛想のいい笑顔を向けたけれど、今日はうちではなくて角の向こうのカレー屋に入っていった。一方通行の道を通る車は、土曜日だからいつもの半分以下だったけれど、宅配便や事務機器会社の社名の入った車も見かけて、土曜日でも仕事している人は多いんやなと思う。本町《ほんまち》と堺筋本町と心斎橋のどの駅からも中途半端な距離にあるこの場所は、中小の会社や問屋が大方を占めているけれど、繁華街も近いので飲食店やお店も途切れずにあって、週末でも人通りがある。店の前の筋のずっと先には、阪神高速道路とその下の船場センタービルが見えている。

ドルン、と聞き慣れたエンジンの音に振り向くと、郵便のバイクが角に停まった。郵便屋さんは土曜日も仕事か、ととっくに知っていることをなぜか改めて思い、「ベリーチーズケーキ」と最後の行を書き終わって立ち上がると、ちょっと立ちくらみがした。自分が書いた黒板の文字を確認していると、日付を見て、このカフェでアルバイトし始めてちょうど半年になると気がついた。隣の鞄《かばん》の卸問屋は今日は休みでシャッターが降りていて、いつも前に停まっている軽ワゴンもなかった。普段より重く感じるガラスのドアを押し開けると、よく冷やされた空気で少しだけ目が覚める気がした。

「また欠伸《あくび》しとったやろ」

カウンターに戻った途端に、エスプレッソマシーンを操作していた大西さんが言った。ランチの時間が終わった店の中は、七つあるテーブルに一人とカウンターに二人、ほとんど毎日この時間にいるお客さんが座っていた。このあたりの建物がみんなそうなように間口が狭くて奥に長い二十坪ほどの店は、急に静かになったように感じた。

「してませんよ」

「気づいてないだけやって。ええ年して、そんな飲むなよ」

「自分こそ、三十過ぎてこないだ道で寝てたらしいやん」

大西さんは、がっしりした体格でいかにも飲めそうな男っぽい顔をしているのにまったく弱くて、それなのにたまに飲んでしまうことがあって、そういうときは必ず記憶がなくなるらしい。

「道とちゃうって。駅」

大西さんから受け取ったカフェラテのカップをソーサーに載せてスプーンを添えてカウンターに置くと、今日は会社の名前の入った薄緑の作業着ではなくてグレーのスーツを着た岩橋さんが、わたしが外に出ていた時間がなかったみたいに唐突に話し始めた。

「ほんでやな、歌ちゃん、今度建てるそのビルのオーナーがな、そういう絵とか音楽とか好きなんや。七十過ぎのおじいちゃんなんやけどな、結構インテリで大学のときは演劇してはったかなんかで。で、そこの一階で娘さんがレストランしはるらしいねんな。だから、そこの一角にイベントスペースっちゅうか、まあ、ここみたいに壁をギャラリーとして使えるようにしてもらうんか、もっと独立した形にするんかはまた考えるねんけど、なんとかだまくらかして作れそうやねんな」

「だまくらかすって、あかんやないですか」

「いや、そら言い方が悪かっただけ。ええことしてるやろ、思わへんか？　若者のセンスのええ絵とかあったほうが客層も広がるしやな、ビルのイメージもようなるしやな、絵はいろんな人に見てもらわなあかんのやから。だいたいそのおっちゃんがやりたい言うてはんねんで」

　岩橋さんはそこまで一気に言ってやっとカフェラテの泡をすすった。短く刈った頭に恰幅《かっぷく》のいい体で、三代目とはいえいちおう「社長」だからずっと年上のような気がするけど、たぶん五つも変わらないはずだった。

「だいたいな、もともと大阪は芸術とか文化とかで発展してる街なんやって。そこの大丸の建物とかめちゃめちゃきれいやろ？　御堂筋《みどうすじ》線のホームかって、あんなドーム天井に飾り照明なんか東京メトロにはないで。それを忘れて目先の利益でもうかりまっかとか言うてるのがあかんねん。そんなん最近の話やで。安っぽい大阪のイメージを自分らが思いこまされてるだけやねん。もっと長期的な視野を持たな。ビジョンっていうの？」

　エスプレッソマシーンでもう一杯コーヒーを入れている大西さんは、スチームの音に負けない岩橋さんの大きい声を、またかと言いたそうに苦笑いして聞いている。毎日のように来る小さい建設会社の社長の岩橋さんの大阪の街についての話を、次になにを言うかだいたいわかるくらい聞いたけれど、飽きたりうんざりしたりはしない。

「最近はほんま、オリンピックや博覧会や言うたり、わけのわからんビルばっかりつくって、あんなん一時のもんで、あとから余計しぼんだ感じになるだけや。もっとあるもんを活用して、若い子に好きなことやらしたったらええねん。おれは絵も音楽も才能ないから、ある人には使《つこ》てほしいわけよ」

カウンターの反対側は、壁に沿って長いソファがしつらえてあり、その上の壁はミニギャラリーになっていて、来週までは、写真学校に通っている女の子のプリントが並んでいる。色鮮やかな花の写真で、カウンターに立つ度に目に入ってちょっとうきうきする。大西さんもともとは絵を描いていて、岩橋さんとは三年前にこの店を始める前からの知り合いらしい。

カウンターのいちばん手前に座っている、二日に一回は来るけれど岩橋さんと違ってほとんどしゃべらないし仕事もわからない小柄なおじさんに出されたエスプレッソの香りが流れて来た。いい匂《にお》いだけれど、今日は空の胃に響くみたいに感じる。奥のキッチンスペースでは、料理担当の慎次くんがやっと一息ついてスツールにぼんやり腰掛けている。

「歌ちゃんも思わへんか？　おれは、すぐ、景気悪いからあきまへんわ、ばっかりいうおっさんは嫌いやねん。それはわかってるから、じゃあどないすんねんいう話やろ」

空になっていた岩橋さんのグラスに水を注いだら、氷が崩れて小さないい音がした。

「あー、言うてましたねえ、わたしが行ってた会社の上司」

「そうやろ、だから潰《つぶ》れるねんって。災難やったなあ」

「いやー……」

「歌ちゃんも愚痴ばっかり言うとったやん」

大西さんが横やりを入れた。わたしが五年間勤めた繊維卸の会社はこの近くにあって、智佐とここで帰りに待ち合わせることも多く、大西さんに会社の愚痴もよく聞かせていた。七か月前に会社が突然倒産した日、夜十時過ぎにやっと会社を出て駅に行く途中で、店を終えて帰る途中の大西さんにばったり会い、興奮してしゃべっているうちに泣いてしまったのを、なにかある度に大西さんにからかわれる。

「会社におるときはおっちゃんに腹立ってばっかりやったけど、今になったら、自分ももっとできることあったんちゃうかなとか思いますよ」

「でも、事務の女の子がどうこう言うな、みたいな会社やったんちゃうん」

「そうですねえ。仕組みとか体質とかなにもかも古いままの見本みたいで、入ってびっくりしたんですけど、そういうのはやっぱりあかんかってんな、って倒産しても妙に納得しました」

と、茶化して言ったそばから悲しい気持ちが戻ってきたけれど、岩橋さんはそんなわたしには気づかないで、ははは、と軽く笑った。テーブル席に座っていた近くの歯科医院の制服にカーディガンを羽織った女の人が伝票を握って立ち上がったので、わたしはカウンターの端のレジへ移動して会計をした。わたしとそう年の変わらないように見える彼女は、レジ横に置いてあった壁の写真の案内はがきを一枚手に取り、持って帰った。自分も気に入っている作品のときは、ちょっとうれしい。

「そや、大西くん、こないだここに大きい絵あった子おったやろ、アメリカの漫画みたいな感じのん。今、内装頼んでるデザイナーがおんねんけど、一回紹介したいねんわ」

岩橋さんは、今度は大西さんをつかまえて話を始めた。テーブル席のグラスを片づけてカウンターに戻るとやっぱりまた眠たくなってきて、俯《うつむ》いて隠したつもりの欠伸を大西さんに見られ、休憩行ってきたら？　と言われた。

平日だといつも満車の狭いコインパーキングも、今日は半分の二台しか停まっていなかった。どんな会社が入っているのかわからないけれど蛍光灯の光が見える古いビルを曲がると、ちょうど自転車に乗った智佐がこっちに向かってくるところだった。

「今からそっちでお昼食べようと思ったのに」

智佐はもともと洋服が好きというのもあるけれど、仕事柄、もうダークカラーの服を重ね着し、スウェードのロングブーツを履いていた。昨日も履いていたブーツはかわいくてわたしもほしくなった。思い切れば買えない値段というわけではないけれど、たぶん今は買わないほうがいい。いちおう失業中だから。

「ああ、じゃあ、わたしも戻るわ。いかにも二日酔いやから、大西さんが外に出してくれてんけど」

「大丈夫？　珍しくよう飲んでたからなあ、昨夜は。やっぱり彼氏できてうれしかったんや。よかったね、ほんま」

自転車から降りた智佐が、わたしの肩をぽんぽんと叩《たた》いた。その笑顔を、わたしは確認するように見返した。

「なにそれ？」

「だから、良太郎やん。いっしょに帰ったんやろ？　あれから」

「えーっと、いっしょには帰ってないと思うけど……。彼氏って、あの人？」

緑のキャップと四角い輪郭。確かに、昨夜クラブで会っただけにしては記憶というか、いっしょにいたときの感覚のようなものがまだ残っている気もする。でも、智佐に言われた今の今までなんにも思い出さなかった。携帯に残っていたメールも、あの人とは結びついていなかった。

「……覚えてないとか？　まじで？　あんなにべたべたしてたのに」

「ちょっと、あの、詳しく聞いていい？」

「そら、わたしが一から全部説明せなあかんわ。ちゃんと思い出してや」

智佐は咎《とが》めるような目でわたしを見ながら念を押して言うと、今度は背中を叩いた。角の設備工事の事務所のシャッターの前に置かれたサボテンのマゼンタ色の花が咲いているのが、気になって仕方がなかった。

休憩時間を店内で過ごすときはいちばん奥のテーブルに座る。大西さんは智佐の注文したオムライスのついでに、わたしにはお茶漬けを出してくれた。

「大西さん、ランチ三時か四時までにしてよ。うちみたいな店やったら休憩遅いし、他の子も言うてるで」

智佐が大きな声で言う。岩橋さんももう一人のおじさんも帰ってしまって、ちょうど店の中はわたしたちだけになった。昨日大西さんが買ってきたボサノバのCDが、朝からリピートでかかり続けていて、もうほとんどの歌を覚えてしまった。

「わかってるけど、うちにはうちの都合があるしなー。なんか、別のセットとか考えよかな」

「よろしくお願いしまーす。大西さんのオムライス、おいしいねえ」

智佐はお皿の端の卵の半熟の部分をスプーンですくい上げ、ほんとうにおいしそうに言った。智佐のこういう感情をするっと表情にできるところが羨《うらや》ましいとよく思う。褒められた大西さんは機嫌がよくなったようで、このあいだからわたしやバイトの他の女の子たちに何度も言われていたCDの整理を始めた。

「あのあと、ラウンドに行ったやん？　それは覚えてる？」

「うーん、なんとなく。でも誰がおったかわからへん」

「久志とえっちゃんと中井さんと、で良太郎やん」

「えっちゃん？　いつ来たん？」

「まじで？　そんな飲んでたっけ」

「飲んでた、みたいやなあ」

記憶が途切れたのは初めてではないけれど、人に会ったことも覚えていないなんて。なにを飲んだか順に思い出してみると、いつもよりペースが速かった気もする。

智佐の話によると、一時頃にクラブを出て、脚にワニの絵がある久志に連れられて千日前にある店に六人で行き、移動中からわたしは良太郎とばかり話していて、その店の奥のソファ席でずっと二人でくっついて座り、つき合うことになったと言っていたらしい。

「つき合うって、わたしが言うてたん？」

「二人とも。良太郎もだいぶ酔うてるみたいではあったけど」

話を聞いている間に、そういえば朝、目が覚めて、男の子といっしょにいて楽しかったような記憶がぼんやりとあって、でもいい夢を見たのだと思ったのを思いだした。少しずつ、中古で座り心地の悪かったソファと触っていた腕の感触が戻ってくる。

「良太郎、って、誰かの友だちやった？」

「久志とかしーちゃんとか……、大西さんも知ってんちゃう」

智佐の視線を追いかけるように半分振り返ってみると、大西さんはカウンター横の棚の前にしゃがみ込んで黙々とCDの仕分けをしていて聞こえていないようだったけれど、なんとなくたぶん耳はこちらに向けている気がした。智佐はずっとにやにやした顔で残り少ないオムライスをすくい上げる。わたしはお茶碗《ちゃわん》に残ったお茶をすすった。

「向こう、は、どうなんかな？　わたしみたいに覚えてないとか」

ぼんやりした記憶をいくら辿《たど》ってもやっぱり、クラブで眠そうにぼそぼそと短い単語を交わした部分しか思い出せなかった。前に会ったときも、特に話が盛り上がったこともなかったのに。こんにちはー、という声といっしょに心斎橋筋商店街のドラッグストアの女の人二人が入ってきた。腰を上げかけると、大西さんが、ええよ、と言ってメニューとグラスを取った。

「どうやろ？　でもいいやん。これも一つの縁やと思うで。つき合ったら」

口元をもぞもぞさせている智佐は妙にうれしそうで、その分、わたしが昨夜よっぽど良太郎とべたべたしていたのかと思うと恥ずかしかった。ミキサーの音が店の中に響く。あの女の人たちはいつもミックスジュースを注文する。

「おもしろがってるやろ」

あはは、と笑ったあと、智佐はスプーンを握り替え、じっとわたしを見た。

「わたしも歌ちゃんもさ、男運ないって友だちにもよう言われるけど、それってやっぱり選び方が間違ってるんちゃうかなって最近思うねんな」

智佐は氷の溶けたアイスティーにミルクを足し、ストローでぐるぐる混ぜながらゆっくりしゃべった。

「だから、自分が好きになった人じゃない人とつき合ってみたらどうなんかな……って思っても、誰でもいいわけじゃないし。歌ちゃん、これいい機会やと思うで。昨日みたいにクラブとか行っても、もう年下ばっかりやん。もうちょっと積極的にならんと」

「わからんでもないけど」

と、わたしの言葉は自分で聞いていても歯切れが悪かった。似たような会話を、智佐と何回してるんやろうと思う。わたしは、グラスの周りに付いた水滴を指でつなげながら、壁の写真や智佐のお皿に残ったレタスやなんかを眺めていた。

「ほんでどうなん？　覚えてる範囲では、良太郎、好き？」

「……きらいじゃない」

「それぐらいがいいのかもよ。歌ちゃんは、好きになると判断力がなくなるからさあ。……鷺沼《さぎぬま》さん、ここに来た？」

　智佐は大西さんを気にしているふうに、そこだけ声を低くした。半年前にすごく好きだったその人が東京から戻ってきているのは、十日ほど前に智佐からも別の知り合いからも聞いた。

「来てない」

「わたしの経験では、ああいうタイプは絶対また連絡してくると思うねん。あかんとは言わへんけど、あんまり深入りせんほうがええと思うよ」

「うん。だって、もう今は結婚してはるんやし、さすがに不倫はできへんから」

　と言いかけたわたしを遮るように、智佐が笑った。

「わたしが言うのもなんやけどね」

　四十歳前後の人が好きな智佐は、相手が結婚している確率が高く、二か月前に別れた人も小学生の子どもが二人いると言っていた。奥さんにバレたとかではなくて、だいたいいつも一年ぐらいするとだんだん会わなくなってしまう。今は、離婚歴二回の四十五歳の人とときどき会っているみたいだけれど、つき合っているわけではないらしい。

「歌ちゃんには鷺沼さんより良太郎のほうがいいと思うな。まあ、ヤミ金の集金してるとか言うてたから、仕事は変わってもらったほうがいいかも知らんけど」

「ヤミ金？　って、ヤクザ系？」

それも覚えてないの、と呆《あき》れたように智佐はアイスティーを吸い上げた。

「そうちゃうの？　ただのバイトやろけど」

「うーん」

予想外のことばかり言われるので、どこから考えたらいいのかわからなかった。

とりあえず、携帯電話の差し出し人不明のメールを智佐に見せた。

「なあ、これって、会う約束してるってことやんな」

数字とアルファベットがランダムに並んだ、たぶん加入したときに自動で設定されたのをそのまま使っているアドレスで、「明日、バイトが終わったらすぐ店行く。絶対待っててな」という文面だった。それに対応するわたしのメールは、「うん。絶対来てな。待ってるから」だったのだけど、そっちは見せなかった。メールだけ送りあって、電話番号も名前も登録した形跡がないのはやっぱりかなり酔っていたからなんだろうか。

「あっ、ちゃんとそんなメール来てるんやん。早く言うてよ」

「いや、誰かわからんかったし……。ほんまに来るんかな？　わたし、今日五時までやねんけど」

「そんなん、早よメールしとき。せっかく来てくれておらんかったら悪いやん。せっかくの新しい恋が」

楽しそうな智佐の手から携帯電話を取り返した。カウンターの中にいる大西さんの視線を背中に感じて気にしていると、酒屋の配達のおっちゃんが毎度、と声を上げて入ってきたので、ほっとした。

「これ、やっぱり向こうも酔っぱらってる感じじゃない？　ほんまに良太郎かどうかわからへんし、今、この感じではメールできへんわ、わたし」

「じゃ、わたしが代わりにしようか」

「いい。自分で送る」

智佐がじっと見ているので仕方なく、「こんにちは。昨日はどうもでした。今日はバイトは五時までです」と、たとえ間違いでもいい文面を、名前も書かないで送信した。ミックスジュースの女の人たちが帰り支度を始めたので、わたしは立ち上がって自分と智佐の食器を重ねて持ち、カウンターに戻った。全面ガラスの壁の向こうの道には、薄日が差してきていて蒸し暑そうだった。

五時からのシフトの里依《りえ》ちゃんもとっくに来たのに、店が混んでいるのを言い訳にぐずぐずと手伝っていた。でも三十分も過ぎると大西さんも里依ちゃんももういいよと言うし、メールの返事もないのでちょうど空いたテーブルの片づけを区切りにして帰ることにした。

ドアを開けた途端にアスファルトに溜《た》まった熱が、エアコンで冷えた体の温度を一気に戻した。暑かったけれど太陽は随分と傾いていて、やっぱりもう夏じゃないんだと思った。店の前の鉢植えが一つ倒れていたので元に戻して立ち上がると、良太郎の乗った原付バイクが目の前に停まった。

「こんにちは」

良太郎は、太陽が眩《まぶ》しいという感じで眉間《みけん》にちょっとしわを寄せていた。

「こんにちは」

わたしは軽く頭を下げて、店の中をちらっと窺《うかが》った。大西さんはキッチンに入っているのか見当たらなくて、里依ちゃんも忙しく動き回っていてこっちには気がついていなかった。

「あの、もう帰るんかな?」

原付から降りた良太郎は、紺色のナイロン製の古くさい鞄《かばん》を斜めに掛けていて、さっき智佐に教えてもらったバイトのことが頭をよぎった。そのうしろを、毛の長い大型犬を連れたおばあさんがゆっくり通る。近くの小さいビルの最上階に住んでいるんだけど、不動産をいくつも持ってるお金持ちだと常連のおじさんが教えてくれた。

「うん。今日はもう終わりで……」

わたしはとりあえず、店の中から見えないように電柱の陰に移動した。良太郎は営業の邪魔になるからだと思ったのか、ああ、ごめんと言って原付の方向を変えた。運動会の帽子みたいな白いヘルメットを被《かぶ》ったままの良太郎は、あまり視線を合わせないまま言った。

「えー、昼に友だちから聞いたんやけど……、昨日……」

言葉に困っているようだったので、どこまで覚えているのかわからないけれど、やっぱり良太郎も酔ってはいたんだと思った。

「どこかでお茶でも」

言いかけると、良太郎は急に慌《あわ》ててヘルメットと鞄を触った。

「いや、おれまだ仕事中で、今日は休んでるやつの分も行かなあかんし、えーっと」

「あ、そうなんや。じゃあ、わたしも帰るし」

それで、本町の駅へ向かって並んで歩き出した。路上駐車の多い道を、間に原付を挟んでだったので車と擦れ違うたびに立ち止まらなければならなかった。

「智佐、って昨日いっしょにおった子やけど」

「知ってます」

「あ、そうなんや。智佐に聞いてんけど、バイト、ヤミ金の取り立てやって」

思い出したようにヘルメットを取ってハンドルにぶら下げながら、良太郎は軽く笑った。

「ヤミ金やないよ。普通の、消費者金融。いちおう法定利息の範囲」

「あ、そうなんや。金返さんかい、みたいなんとちゃうんや」

さっきから繰り返してしまう短い「あ」は、自分で聞いても取ってつけたみたいな感じがするけれど、どういう親しさで話していいのかわからない。良太郎のTシャツの袖《そで》から覗《のぞ》いている二の腕は、日焼けした部分と白い部分がくっきり分かれていた。それなりに筋肉のついた腕もちょっと骨張った手も、見ていると感触が蘇《よみがえ》ってくる感じがする。昨夜、どのくらい近くにいたんやろう。

「ちゃうちゃう。だいたい利息分を素直に払ってくれるとこに取りに行くだけ」

「へえー」

と言ったものの、やっぱり「ナニワ」とか「ミナミ」とかのタイトルの漫画や映画に出てくるちんぴらが凄《すご》む場面しか浮かんでこなかった。良太郎の鞄のたすき部分には三色ボールペンが引っ掛けてあった。

「あのー、ウタさんは、ずっとあの店なん？」

今までされたことのない呼び方だったので、誰か違う人のことを聞いている気がした。

「半年ぐらい。その前に行ってた会社が倒産してん」

ちょうどそこで運送会社のトラックが通り、聞き返すような顔で立ち止まった良太郎に、とうさん、と繰り返した。

「え、それって大変やん」

「まあまあ。でも、わたしは家族の生活とかかかってないから」

「そっか」

とぼそっと言ったあと、なにか続けそうな気がしたのだけれど、良太郎はそれきり黙ってしまった。原付で利息分を取りに来るようなところからお金を借りている人は、「とうさん」という状況と隣り合わせなのかもしれない、と思った。本町が近くなるにつれ、立ち並ぶビルには人の気配が少なくなった。角に来るたび西側に見える商店街と、だいぶ近くなってきた中央大通りはことは対照的に人と車がうるさく行き交っているのが、遠くから響いてくるように感じる。良太郎はよく日焼けした腕に巻かれたデジタルの腕時計を気にしている様子だった。

「良太郎、はどこに住んでんの？」

共通の話題がないとき、わたしはいつも住んでいる場所を聞いてしまう。

「谷六《たにろく》」

「ええな。便利そう。一人暮らし？」

「友だちの家の二階」

「あ、そうなんや」

わたしはまたそう言ってしまい、せっかくいろいろと聞く糸口はありそうな答えだったのに、質問が出てこなくなってしまった。今日は暇な立体駐車場の警備員のおじさんが、暑そうに帽子を取ってタオルで頭や首を拭《ふ》くのが目に入った。

「ウタさんは、おいくつですか？」

急に、昨夜も同じ聞き方をされた気がした。でも、やっぱり夢の中でのできごとに感覚が近くて、ほんとうかどうかわからない。

「二十八、になったばっかり」

「ああ」

曖昧《あいまい》な返事は、どういう感想なのかわからなかった。

「良太郎は？」

「来月で二十五」

「あ、そう」

同じぐらいの年かと思っていた。老《ふ》けているというわけではないけれど、カフェに来るそれくらいの年の子たちとは雰囲気が違っていた。中央大通りに出ると、車や店先から流れてくるアナウンスの音なんかで、いっぺんにうるさくなった。

「何線？」

「中央線」

左に折れるとすぐに地下鉄の入り口だった。良太郎は原付を停めると、ヘルメットを被り直し、道を走る車をちょっと目で追ってから、言った。

「あのー、昨日のことやけど」

それでまた言いにくそうなので、年も上なことだし助けないとという気持ちになった。

「なんか、盛り上がってたらしいね」

わたしが笑うと、良太郎もやっとほっとしたように笑った。

「ウタさんも、あんまり覚えてないん？」

「うん。そんなに飲んでるつもりなかってんけどなあ」

そういえば、胃が気持ち悪いのも眠たいのも随分ましになっている、と気がついた。自転車の荷台に段ボール箱をくくりつけたおじさんが、必要以上にベルを鳴らしながらわたしたちや歩いている人たちの間を走り抜けた。良太郎は大きい手で自分の腕を掻《か》いた。

「おれ、普段は飲めへんねんけど、なんか飲んでもうて」

「気をつけなあかんなあ」

笑ったところで、良太郎はふと気づいたように鞄を探って携帯電話を取りだした。はい、六時半には戻ります、と答えているその電話はずいぶん前の機種で、側面には電話番号が印字された黄色いテープが貼《は》ってあった。電話を切ると、良太郎はじゃあ仕事戻るんで、と言い、原付のスタンドを外した。それから、口の両端を引っ張るみたいな笑い方をして、わたしを見た。

「おれ、だいたいこの辺集金で回ってるから、またお茶飲みにでも寄らしてもらうわ」

「うん。ランチもやってるから、お昼でも」

お互いに、じゃあまたみたいなことを歯切れ悪く繰り返して会釈《えしやく》しあい、わたしは良太郎が原付にまたがって堺筋のほうへ走り出すのを見送ってから地下鉄の階段を降りた。古い階段は、湿ってひんやりしていた。

3

連休明けの火曜日で、昼休みに来るお客さんたちはなんとなくまだ調子が出ないような様子で、信用金庫の制服を着た女の人たちも一時ぎりぎりになって慌てて帰っていった。ランチタイムは普段より忙しくて、二時半ごろになってやっと落ち着いて表の黒板を書き直しに出ると、雨が降りそうで降らない重い曇り空だった。あちこちでエアコンの室外機が唸《うな》っていて、こういう蒸し暑さっていつまで続くんやったっけと去年のことを思い出してみた。

カウンターでは、近くの大きい問屋のおじさん二人がコーヒーを飲んでいた。よく太ったおっちゃんのほうは週に一回は来るけれど、小柄で白髪をきちんとわけた眼鏡のおっちゃんは前に一、二度見たことがあるだけだった。会社帰りにここに来ていたときは流行《はや》りの洋服を着た若い子ばかりだったけれど、平日の昼間はこういうおじさんも多いんだと働き始めてわかった。

「へえー、ほんなら生まれも育ちもミナミでっか。かっこよろしいなあ」

広げていたスポーツ新聞を畳みながら、太ったおっちゃんの声は大きかった。だいぶん年上らしい眼鏡のおっちゃんのほうは、スツールに真《ま》っ直《す》ぐ座り、ええ、まあ、と控えめに答えた。カウンターの中では大西さんがストローの袋を剝《む》いて揃《そろ》えていた。

「僕、憧《あこが》れてましてん。子どものころからミナミが庭で、とか言うてみたかったんですわ」

太ったおっちゃんの声は、入り口脇《わき》のテーブルに座っている学生っぽい女の子たちにもよく聞こえていそうだった。

「いかにも大阪で商売してはる人っぽいと思ってたんですけど、ご出身どちらなんですか？」

大西さんが聞いた。わたしはレジの前に立ったまま、おじさんたちを見ていた。

キッチンでは慎次くんがたぶんケーキを作っていて、仕切の布の下から足がときどき見える。

「僕はねえ、高知ですねん。ときどき大阪弁おかしいって注意されますわ、もう四十年もおるのに。せやから、岡島さんみたいなさらっとほんまの大阪みたいな人、羨《うらや》ましいですねえ」

「いやいや、僕が子どものころはあのへんはまだ普通の家も多かったし、住んでるもんにしたら特別なとこやないですよ」

岡島さん、と呼ばれた眼鏡のおじさんは、穏やかな声で話した。大西さんが、ストローを片づけながら聞く。

「どのへんですか？　ミナミの」

「今は西心斎橋なんていう愛想のない地名になってしもたけど、久左衛門町《きゅうざえもんちょう》の端って言うたらええんかなあ、湊町《みなとまち》のすぐそばで。昔は駅が地上で千日前通りの北まであったんやけど」

「ああ、それは僕もわかります。中学のとき自転車で難波行くのにぐるっと回ってましたから」

「そうそう、そのぐるっと回るあたりで。僕が住んでたところはね、戦争で焼けたとこがまだそのまま残ってたりして畑やらあったんですよ」

「へえー」

わたしの頭には、あの空中写真が浮かんでいた。

大学のとき、地理学の授業を取っていて、大阪の街の成り立ちを勉強したことがあった。定期的に撮影された大阪の空中写真の同じ場所を見比べて土地利用の変遷《へんせん》を調べる課題があり、わたしは、よく知っている場所をと思って心斎橋周辺の写真を選んだ。空中写真は、少し角度をずらした二枚の写真がほぼ重なり合うように撮られている。それを、ステレオグラムという一時流行った隠された形が浮かんでくる絵のように寄り目にして見るか、専用の立体鏡で見ると、写真の中の街が立体的に見える。実際よりも強調されて見えるその立体感というのは、驚くほど鮮明で迫力があり、自分が今その街の上空にいるように思えて、作業そっちのけでずっと覗いていることも多かった。

戦争が終わってしばらくの間は、米軍が写真を撮っていた。昭和二十二年から二十三年にかけて撮られた心斎橋は、道の区画は今とほとんど変わっていなかった。

道頓堀川があり御堂筋と心斎橋筋があり、規則正しく真っ直ぐな道路が交差していた。だけど、今と同じとわかる建物は、大丸とそごうしかなかった。それ以外は、背の低い、急場しのぎに次々建てられたような家屋の黒い屋根が連なり、それから焼け跡の空き地もまだ残っていて、畝《うね》に見える黒い点々は野菜の葉らしかった。その地面には、ところどころクレーターのように凹《くぼ》んだ部分があって、爆弾がこの場所に落ちたのだということを、わたしはそのとき初めて実感した。実感というか、それまではたいてい白黒の写真や映像で見るその世界を、時代劇みたいな別の世界のようにしか思えなかったのが、急に、今自分のいる世界とつながって、穴だらけだった地面の上を歩いているのだと感じられた。

あの写真のどこかには、このシュガーキューブスがある場所も写っていたはずだから、見直して探してみたかった。

「道頓堀川も、人が少なくなってたせいかちょっときれいになっててね。近所のガキ連中でよう泳いで渡って怒られましたわ」

「ええっ、泳げたんですか？」

「ちょっとぐらいはね。それでも、今は考えられへんでしょう。この前の阪神の優勝のときも、大腸菌やヘドロやいうてさんざん大騒ぎしてましたからねえ。まあ、景色も随分違いますけど」

「あんなとこ飛び込むやつの気が知れまへんけどなあ、今や。今年もまた、来週あたり大騒ぎしまっせ」

太ったおじさんはショートホープを取り出してくわえた。わたしは水を注ぎ足すのをきっかけにして、岡島さんに話しかけてみた。

「あの、ずっとそのへんに住んではったんですか？」

「そうやねえ、二回引っ越したんやけど、そこから今のアメリカ村言うんかな、あのあたりと、中学になってからは新町で」

「アメリカ村」

「そうそう。こないだ通ったんやけど、もうなーんにも残ってませんでしたわ。小学校のとき、西横堀の近くにバレエ学校があってね」

岡島さんは、埋め立てられて阪神高速道路の下になってしまったもうない川の名前を言った。

「そこが遊び場やったんですわ。何するでもないけど、女の子が踊ってんの窓から覗《のぞ》いたり、上がり込んで先生にお菓子もろたりね」

「へえー」

聞きながら、どきどきしてきた。

「歌ちゃんね、昔の大阪の写真集めてるんですわ」

大西さんが、コーヒーメーカーのネルドリップを外しながら言った。

「いえ、集めてるってほどでもないんですけど、古本屋とかでたまに買う程度で」

「なにがおもろいの」

身を乗り出してきたのは太ったおじさんのほうだった。

「うーん、この辺やったら比べられるやないですか？　写真に写ってるとこと、今のその場所と」

違うのはわかっているのに簡単に答えてしまった。大西さんが、手際《てぎわ》よくアイスコーヒー用のコーヒーを作り始めながら聞いた。

「この辺て道はみんな川やったんですてねえ」

「いやいや、僕の覚えてる限りはもう道路やで、なんぼなんでも」

岡島さんは柔らかく笑った。ドアが勢いよく開いて、展示している写真を撮った女の子とその友だちの一団が口々に挨拶《あいさつ》をしながら入ってきた。

4

昨日より雲は薄かったけれど、やっぱりすっきりとは晴れなかった。大西さんの自転車はときどき借りるけれど、ハンドルがほんの少し右にずれていて乗りにくい。長堀通りを渡って心斎橋に入ると障害物も多い上に、黒くて幅が広くて運転の荒い車が増えるので、いくつになっても自転車に乗るのが下手なわたしはひやひやしてしまう。シュガーキューブスでこれからやる展示の案内を近くのカフェや洋服屋なんかに届けるついでに休憩してくることになった。一軒目は東心斎橋の路地の奥で夜中までやっているカレーがおいしいカフェで、開店時間はいい加減だからまだ誰も来ていないかもしれないと思ったらやっぱり閉まっていたので、帰りにもう一度寄ることにした。

周防町《すおうまち》に出て右へ曲がった。何か月か前に火事になった木造二階建てのあったところはまだ青いシートに囲われたままで、その隙間《すきま》に焼けた壁が覗いて、火事のすぐあとに見に来たときの臭《にお》いを思い出した。火事になるとそのあとの処理がややこしいのか、いつまでもそのままになっている場合が多い。建物が解体されて初めてなにがあったっけと思うように、ここもどんな店があったのか思い出せないけれど、随分と古い建物だったらしい。東心斎橋はまだ開いていない店も多かったけれど、西へ走って心斎橋筋に出ると、お昼を過ぎてからようやく目が覚めたみたいにぞろぞろと人が出てきていて、いったん自転車を降りなければならなかった。角のアセンスでほしい雑誌があったのを思い出したけれど、バイトが終わってからでもいいかと思った。

自転車に乗り直し、ビッグステップの前を通って四ツ橋筋まで抜ける。中学に入ってすぐ初めてこの辺に来たとき、まだ南中学校の校舎があった。もう使われていなくて工事用の柵《さく》で囲われていたので、その周りは閑散としていて、雑誌やテレビでのイメージよりのんびりした感じにちょっと拍子抜けしたのを覚えている。ビッグステップがオープンしてから次々に新しい店ができて「アメリカ村」と呼ばれる地域が広がって、前からあったホテルが閉鎖されたり古い料理屋なんかが出て行き、今は朝から修学旅行の中学生がうろうろしている頭上に、キャッチセールスに対する注意を呼びかける放送が終わりなく流れている。ビッグステップの前のベンチには、どこに行っていいかわからない眼鏡の男子中学生のグループがぼんやり座っていて、腕まくりをしたその姿に制服の着方ってなんでこんなに地域差があるんだろうと思った。いちばんここによく来ていた二十歳ぐらいのころにいつも行っていたカフェもラーメン屋も洋服屋ももうないけれど、二週間通らないだけで店が入れ替わっているこの街を生き物みたいでおもしろく思う気持ちは変わらなかった。シュガーキューブスによく来る、大西さんよりもっと年上の人たちが、おれらのころはあのへんにはなにがあって、と話すたびに、そのときのその場所に行ってみたいと思う。

四ツ橋筋を渡って堀江を回り、四軒のカフェと三軒の雑貨屋にフライヤーを持っていき、そのうち四軒からフライヤーやフリーペーパーをもらった。立花通りは相変わらず、四ツ橋筋からなにわ筋まで歩いてきた人が、今度は来た道を逆に向いて紙袋を持って帰る規則正しい流れができていた。立花通りも、五、六年前まではぽつぽつと家具屋があった程度だったのが、ほんの一年ほどでお買い物の街になり、いつもどこかが工事中だったのが最近はやっと落ち着いてきた。A．P．C．やアメリカン・ラグ・シーのウインドウに飾られている洋服は、もうすっかり次の季節になっていて、見に行ったらまたなにかほしくなってしまうんだろう。雲を透けてくる日差しはじゅうぶん熱を持っていて、帽子を被《かぶ》ってくればよかったと後悔した。

四ツ橋筋の東側に戻って三津寺《みつでら》筋に入り、タワーレコードのところで運送会社の大型トラックと擦れ違うときにバランスを崩したのでまた自転車を降りた。タワーレコードの前にびっしり停められた自転車は、端のほうがまとめて倒れていたけれど誰も直す気配がなかった。三人がかりで張り替え作業をしている壁の巨大なポスターを見上げると、白い空が眩《まぶ》しくて目の奥が痛んだ。自転車を押して歩きながら、昨日カフェに来たおじさんが住んでいたのはこの辺なんだろうかと、周りを見ていた。古い大きなマンションと、かに道楽、駐車場、水色に塗られたラブホテルの入り口。普通の家族が住んで子どもたちが遊んでいたことを想像するのは難しいけれど、ただ一か所だけ、前庭のある公民館か集会所のような白い建物がある。ずっと前から、なんに使われている場所なのか気になっているけれど、人がいるのを見たことがない。そのわりに、庭の植物はきちんと手入れがされていて、傷《いた》んだコンクリートが目立つ景色の中で、その緑色が余計に鮮やかに見えた。その脇には路地があり、こういうところに昔の家が残っていたりしないんだろうか、と覗き込んでみた。

「ウタさん」

前を見ると、原付を路肩に停めた良太郎がいた。

「なにやってんの？」

良太郎は前に見たのと同じヘルメットに鞄《かばん》を斜めがけにしていた。原付の足下に大きな紙袋を置いていた。

「お昼の休憩。仕事中？」

「ああ、おれも昼飯食おかなって」

じゃあいっしょに、とはすんなり言えなかった。

「あ、そうなんや」

わたしがまた言ったので、良太郎はちょっと笑った。

近くの喫茶店の窓際の席で、わたしはナポリタンセット、良太郎はカレーセットを頼んだ。良太郎が、最近おれ純喫茶ブームやねん、と言ったのだけれど、ただの「喫茶店」と「純喫茶」がどう違うのかわからなかった。水とコーヒーの混ざった匂《にお》いが店じゅうに流れていて、確かにうちのカフェとは違って子どものころに親に連れて行かれた喫茶店を思い出す匂いだとは思った。店は奥で直角に曲がっていて、通された突き当たりのスペースはちょっとした個室のような雰囲気で、テーブルが二つあり、窓は道頓堀川に面していた。入ってきた方向に目をやるとスポーツ新聞を大きく広げているおじさんの後ろ姿がちらちら見える。

「集金してきたん？」

先に運ばれてきたカレーをさっさと食べている良太郎に聞いた。

「うん。道頓堀のほうで三軒あって、このあと難波とか日本橋《にっぽんばし》のほう」

「普通の家に行くん？」

「いや、商売やってるとこばっかり。やっぱ飲み屋、スナック系が多いけど、このあと行くのはクリーニング屋と中古の電機屋とか」

しゃべりながらでも良太郎の食べるペースは落ちなくて、どう配分すればそうできるのか、じっと見ていた。やっと良太郎の顔をじっくり見ることができた。四角い、肉の薄そうな顔に目は大きかった。スポーツ刈りが伸びたような適当な髪に、ヘルメットの跡がついていた。無精髭《ひげ》は、ほんとうに無精なのか作っているのか、判断がつかなかった。今日のTシャツは青だけれど、洗濯しすぎて毛羽立ったようなのはいつもと同じだった。

「ふーん。こんにちはー、集金でーす、みたいな感じ？」

「……のとこもあるし、スナックとかは鍵《かぎ》預かってるから中入って引き出しから取ってくる」

「なにそれ？」

「金置いてるとこ決めてあって、だいたいレジの下の引き出しとかに三千円とか封筒に入ってるからそれを持ってくるねん」

良太郎はごそごそと鞄を探り、十本はある鍵の束を見せてくれた。見慣れた家の鍵のような形で、一つ一つに名前の書かれたプレートがぶら下がっていた。

「大丈夫なん？　そんなんで。鍵なんか預けるんや」

「おれも最初はびっくりしたけど、そんなもんみたいやで。赤いふかふかのソファとかで休憩できてちょうどええし」

「へえええ」

わたしが感嘆の声をあげると、良太郎は少し得意そうに笑った。

「同じバイトのやつなんか、誰もおらん店でドア開けっ放しでトイレ行くんがめっちゃ気持ちええとか言うてるし」

「そんなバイト、どこで見つけてくるん？」

「ふつーに、バイト情報誌に載ってた」

「時給、聞いていい？」

ようやく、わたしのスパゲティが運ばれてきた。持ってきたあまり愛想のよくないおばちゃんの顔をちらっと窺《うかが》うように見てから、良太郎はぼそっと答えた。

「千円」

「まじで。わたしよりええやん」

「そやろ。あんまり休まれへんけど、寄り道もし放題やし、おれはおもろいわ」

「怖い目に遭うたりせえへんの」

「まあ、たまに。最初っから返す気ないやつとかおるけど、そういうのは上の人が行くから」

そこでまたわたしの想像は、安っぽいちんぴらの脅し場面になってしまう。フォークにオレンジ色の麵《めん》を巻き付けながら、窓の外に目をやると道頓堀川に面した対岸のビルが見える。半地下になっている店なので、川は見えない。道頓堀も御堂筋を西へ越えると派手なネオンも少なく、結構な築年数が経《た》った建物たちは、一様に川に背を向けているというか、道路側の目一杯存在をアピールする外装に比べると、飾り気もなく空気穴のような暗い窓があるだけで淋《さび》しいというか舞台のセットの裏側を見てしまったみたいな気持ちになる。

「あのー、ほんまにシュガーキューブスに行こうと思っててんけど、ちょうどこっちのほう回るときがなくて」

良太郎はもう食べ終わったカレーのスプーンを握ったまま、申し訳なさそうに言った。あんなの、単なる帰りの挨拶程度に思っていたわたしのほうが悪い気がした。

「また、いつでも来て」

「ウタさんは、前は会社員してはったんやろ」

「うん。営業事務」

「もうそういう仕事はせえへんの」

「……するつもりやねんけど、今の生活に慣れてもうて。ほんまは、もっと焦《あせ》って仕事探さなあかんねんけど」

　前の会社を退職してすぐ、もちろんいくつか会社を受けたのだけれど、どこも決まらなかった。同じ時期に、大西さんに誘われてシュガーキューブスでバイトをするようになっていて、十社目から不採用の連絡をもらったとき、就職活動は一旦《いったん》休んでしばらくバイトで生活してそのあいだに次になにをするか、資格を取るとか習い事をするとか、そういうのも含めて考えようと思って、両親が商売で忙しいから家事をするという口実もあって、そのまま半年が経った。会社勤めの最後の一年は、倒産するくらいだから社内の状態は悪くて仕事も増えたし毎日胃が痛かったから、少し休みたいというのもあったけれど、同時に、休んだらそのまま休みっぱなしになってしまうような不安もあった。半年経った今の自分の状態が「ちょっと休んでいるだけ」なのか「仕事に戻れない」のかはわからない。

「ちゃんとした会社で倒産やったら、失業保険いっぱいもらえるんちゃうん」

「倒産て言うても、民事再生法いうやつで会社はまだあって、いろいろ事情があって結局自主退職扱いになっててん。今月で、失業保険も終わりやなあ」

最近は審査も厳しいからバイトがばれないようにしないと、と経験者の友だちに注意されていたのだけれど、職業安定所の説明会に行ったら、大きな部屋に入りきれないほどのたくさんの失業者を前に最初はまじめに説明をしていた係の人が、終盤、登録用紙に貼《は》る顔写真の注意事項あたりから、なんぼ言うても横向きの写真とか貼ってくる人おるんですわ、いやほんまの話、お見合い写真もあきませんよ、美人に撮れとっても金額は変わりませんから、などと笑いを取り始め、気が緩んでしまった。月に一度行くたびに、求人票を検索してはみるのだけれど、知っている会社や多少変わった仕事などを興味本位で探してしまっているのは、結局のところ切羽詰まっていないんだろう。だけど、今年中には一人暮らしになるから、もうそろそろ仕事のことを考えなければいけないのもわかっていた。

「会社って潰《つぶ》れるもんやねんな」

ぼんやりした言い方をして、良太郎は少し窓の外に目をやった。さっきと同じおばちゃんが、良太郎のアイスコーヒーを持ってきて、わたしのナポリタンはまだ半分以上残っていたけれど、ついでにという感じで紅茶を置いていった。

「まあ、わたしが行ってた会社ってほんま昔ながらの卸問屋で、古い体質の見本みたいなとこやったから、五年も勤めてても『そこの女の子』としか呼ばれへんかったし。その分、残業も責任もなくて、友だちからそんな楽でちゃんと給料もらえる仕事は逃したらあかんって言われててんけど、やっぱりそういうとこは今どきもうあかんねんなって思うとこもあるし、でも家族いてる人とかは大変やろうし、なんかわたしも気持ち的にこたえたっていうか」

「ふーん。おれ、保険あるようなとこ行ったことないわ」

良太郎はわたしの愚痴混じりの話にはあんまり興味なさそうで、ストローで氷をつついていた。

「ずっとバイト？」

「まあ、そんなもん」

薄いコーヒーを吸い上げる良太郎の後ろにあるもう一つのテーブルに、男の人と女の人が座った。良太郎と背中合わせの椅子《いす》に座った女の子は、この辺ではよく見かける水商売っぽい、色の抜けすぎた髪を盛り上げた頭で、ショッキングピンクのホルターネックを着ていて白い背中が半分見えていた。その向かいに座った大柄な男の人はベージュのニットキャップを目深《まぶか》に被っていて、女の子に愛想よくメニューを開いてあげる顔がわたしの位置からはよく見えるのだけれど、どう見てもその顔には薄いおしろいが塗ってあってくっきりとアイラインも描いてある。

「このへんて、宗右衛門町《そうえもんちょう》いうんやんなあ」

窓の外を見上げていた良太郎の声で、わたしは視線を戻した。

「もうちょい東のほうかな」

「戎橋《えびすばし》の側？　さっき、こんなん買《こ》うてん」

良太郎は足下に置いていた紙袋から、赤い、というよりは元は赤だったと思われる褪《あ》せた朱色の十センチメートル四方ほどのノートみたいなものを取りだして、わたしに渡した。黴《かび》のあとだらけの布張りの表紙の小さな蛇腹の冊子をめくって、わたしは思わず声を上げそうになった。それは見知らぬ人が写った、変色した白黒の写真帖《ちょう》だった。黄ばんだ硬い紙のページの真ん中に一枚ずつ、縦が七センチメートルに横が五センチメートルほどの写真が貼ってある。開けたページの写真は料理屋の暖簾《のれん》の前で着物姿のおじさん二人と長いコートを着た若い女の人が立っていて、下に「宗右衛門町にて　昭和二十六年二月十日」と鉛筆で書いてあった。二人とも眼鏡をかけたおじさんは顔が似ていて、兄弟らしかった。台紙に比べるとそんなに変色していない白黒写真は、柔らかい色調だったけれどピントはくっきりと鮮明で、何十年も前に撮られたものとは思えなかった。そのときやっと、昔の写真を集めていたけれど、印刷ではなくてプリントそのものを見たのは初めてだと気づいた。急《せ》くような気持ちでめくっていくと、剝《は》がされた跡のある空白のページもあったけれど、家族や親戚《しんせき》と家の前や観光地で撮影した写真が裏表に全部で十二枚貼ってあり、ところどころに「住吉の政男宅前」とか「箕面《みのお》　江利子と政子」などと書いてあった。子どもも含めて笑っている顔はほとんどなく、戸惑うような睨《にら》むような目でじっとカメラを見ているどんぐり目の一家を、わたしは知らなかった。だけどその人たちは、今わたしを見ていて、そこにいるのだった。

「これ、どうしたん？」

「今、四天王寺《してんのうじ》さんの縁日やってるやろ」

「そうなん？」

言いつつも、わたしは写真から目を離せなかった。子どもを抱きかかえた女の人が立っているうしろの板塀の前には、角張った小さな自動車があった。男の人ばかり十人が写っている写真の背景は煉瓦《れんが》造りの建物の玄関で、高麗橋《こうらいばし》と書いてあった。

「行ったことない？　古道具屋やってる友だちがおんねんけど、おれ融通利くバイトやから、そういうのがあるときは探しもん頼まれてんねん。あと、古本とかレコードとか仕入れてネットオークションに出してるから」

「そういうの、お金になるの？」

「今までの最高は、百円が一万円やな」

「ほんまに？　万馬券やん」

「上村一夫《かみむらかずお》って知ってる？　そいつが歌ってるレコードをマニアが競《せ》り合って。それ以降そんなええ話はないけど。まあ、小遣い稼ぎやな」

「へえー」

「それやし、おれ、昔の八ミリ集めてるねん」

ごそごそと紙袋を探って良太郎が出してきたのは、小さな薄い紙箱が五つで、開けると直径十センチメートルほどの白いリールが入っていた。

「ちゃんと見れるの、それ」

「黴だらけでなんかわからんようになってるやつもあるけど。でも、ずっと使ってた映写機壊れてんやん。なかなかええのが見つからんくて、エディターでもあればとりあえず見れんねんけど、今はこうやって……」

リールに巻き付いている細いフィルムの端を引っ張って窓に向けてかざし、良太郎は眉間《みけん》にしわを寄せて睨むようにその爪《つめ》よりも小さい一コマ一コマを見つめた。わたしも一つ取り上げて、明るいほうに透かしてみた。山がある田舎の風景だった。

「なにが写ってるん、こういうの」

「だいたいは、子どもやな。七五三とか運動会とか、あとは、市販の怪獣映画とかもある。別にすげーっていうのはないけど、なんかめちゃめちゃおもろいねんなあ」

「なんで？」

手元のフィルム越しに覗《のぞ》き込むように聞いたわたしを、良太郎が見た。わたしはもう一度聞いた。

「なにがおもしろいの？」

「うわっ、ってなんねん」

フィルムを置いた良太郎は両手を胸の前で、自分が驚くというよりも人を驚かすときのやりかたで開いて見せた。

「知らん人やしどうでもいいようなもんやけど、見た瞬間いっつもなんていうか、どきどきすんねん」

　狭いテーブルの上でうねっている黒いフィルムとうれしそうな良太郎の顔を見比べた。それから、膝《ひざ》の上の写真帖のかさかさした手触りを確かめながら、ページをめくった。

「わたしも、昔の写真好きやねん。八ミリもあるとは知らへんかったけど、大阪が写ってる写真見たくて。その、どきどきの中毒みたいな感じやねん」

　そうやろ、と満足そうに言った良太郎は、散らかった八ミリフィルムを巻き直した。良太郎を見ると、そのうしろにいる男の人がどうしても目に入る。ミックスジュースの縦長のグラスを前に置いて、どうも女の子の愚痴を聞いてるふうなその人は、ときどき肯《うなず》きながら女の子を、くっきりとアイラインで囲まれた目でじっと見ている。肩幅もがっしりしているし肘《ひじ》をついている手もごつごつして骨っぽい感じで、ときどき聞こえて来る会話の中では「おれ」と言っているし、近くには新歌舞《しんかぶ》伎座《きざ》も松竹座もあるから、役者さんが舞台の合間に出てきているのかもしれないとも思う。でも、ちょっと頭を傾ける肯き方や、はっきりどことは言えないけれど女の子に親身になっている表情が女っぽいというかおばちゃんぽい気もする。このへんだし、そういう人が特に珍しいというわけでもないのだけれど、えらの張った顔にもともと大きな目をさらにアイラインで強調しているせいか仁王《におう》さんや狛犬《こまいぬ》みたいなのに、身のこなしが柔らかくてアンバランスなのが気にかかるのかもしれない。

わたしは、写真帖を閉じてちぎれそうな紐《ひも》を結び直し、良太郎に返した。

「こういう写真、ほかにも売ってるの？」

「探したらたまに。今週中は四天王寺さんやってるから、行ってみたら？」

「今週はずっとバイト入ってるからなあ。四天王寺までは休憩時間に行くのは無理やし」

よく考えたら、四天王寺には一度も行ったことがないし、どこにあるのかも正確には知らなかった。このあいだ古本屋で買った本に載っていた四天王寺の写真は白黒で五重塔が写っていた。たぶん今もその五重塔はあって、その下でフリーマーケットみたいな縁日が開かれている光景を、ぼんやりと想像した。

「おれ、もう一回行けたら探して来たろか？」

「ほんまに？」

「行けるかわからんけど」

「ありがとう」

良太郎の後ろで泣き出した女の子の肩を、テーブル越しに男の人がさすった。大丈夫、と声をかけたその感じは、やっぱり女の子が同性を慰めているように思えた。

真後ろなので見られないと思って良太郎にはアイラインの男の人のことはなにも言わなかったし良太郎も気にかけているそぶりはなかったのだけれど、レジで別々に会計をしてもらっているとき、そこからは見えない奥の席にちらっと目をやって良太郎は、

「純喫茶って、絶対ひとつはめっちゃおもろいことに遭うねん。そこが好きや」

と、言った。


そのまま自転車と原付を押して御堂筋へ出た。銀杏《いちょう》並木は葉が重そうなほど緑色に茂っていて、その向こうに「はり重」と松竹座が見え、昔の写真に写っているのはこの建物だけれど、松竹座が十年ほど前に正面の意匠だけを残して新築されたものだと知っていた。戎橋の架け替えと川岸の遊歩道を作るための工事で、御堂筋の

東側から向こうは、白いボードで覆《おお》われていた。道頓堀川や戎橋の代わりに、黄色いクレーンの上のほうがいくつか見えた。手前の道頓堀橋の上にも道頓堀の通りにも、暑そうに黒く光る頭がたくさん歩いていく。信号が変わると、全部南を向いている車が、待ちかまえていたようにいっせいに動き出した。律儀《りちぎ》に深くヘルメットを被《かぶ》りながら、良太郎が聞いた。

「古い写真って、親とかおばあちゃんのとかはないの？」

「あるかもしらんけど、うちの親って両方大阪ちゃうから」

父は愛媛、母は長崎の生まれで、福岡で出会って結婚して姉が生まれる直前に大阪に来て、いまだに二人とも故郷の言葉が抜けない。父や母には、シュガーキューブスに来るおっちゃんたちみたいに、それからわたしみたいに、「若いころの、難波や心斎橋での思い出」はないのだ、と思うと不思議だった。

「大阪のんしかいらんねんや」

「いらんことないけど、やっぱり大阪の、このへんの知ってる場所の写真が見たいな。ずっとこのへんうろうろしてるやん？　ここが昔どんなんやったか、知りたいねん」

別の街で暮らしていたら、やっぱりその街の写真を集めたと思う。ただ、わたしはたまたまこの街のこの道を歩いていた。わたしの視線を追いかけるように、良太郎は背後の道頓堀を見渡した。

「へえー……。じゃ、大阪限定で、探しとくわ」

お礼を言って、御堂筋の側道を走っていく良太郎を見送ると、このまま男友達って感じになるのかなと思った。携帯電話を確かめると、三十分差で智佐と百田さんからほぼ同じ内容のメールが来ていた。明後日の夜にある二回目の合コンのお店と、相手がアウトドア用品の会社のサッカーサークルの人だということが書いてあった。

返信を後回しにして、わたしはそのまま御堂筋の西側の歩道を自転車を押して、道頓堀橋の真ん中まで行った。古い欄干から下を覗くと、黒と緑と鼠色《ねずみいろ》を混ぜたような色の水面はずっと下にあった。やっぱり、いくら昔でもこの川で泳いだなんて想像がつかなくて、あのおっちゃんが大げさに言ったのかもしれないとも思う。触るのもはばかられるくらい汚れているからというよりも、遠いからだと思った。高いコンクリートの堤防で隔てられた両側のビルも、道行く人も、誰も川のほうを見ていなかった。向こうに見える大黒橋には人の気配もなく、その上に見える阪神高速道路を走る車は、下に川があることも意識しない。

わたしは、シュガーキューブスで聞いたおっちゃんの話を、おっちゃんのしゃべりかたで反芻《はんすう》した。あの話をしているとき、あのおっちゃんには、泳いだ川もバレエ学校も自分や友だちの家も鮮やかに見えていた。だけど、すぐそばで聞いていてもそこは見えなかったし、実際にこの場所に来ても見えない。わたしは、どうしてもそこが見たかった。だけど、どうすればその場所を見ることができるのかわからなかった。

戎橋のほうを振り返ると、明るい曇り空の下に派手な看板がひしめいて、昼間の光に負けてしまうのにネオン管が光っていた。

店の前に自転車を停めて重いドアを開けた途端に、目の前のテーブルに座っている鷺沼さんがこんにちはと言ったので、思わずドアを開けたまま立ち止まってしまった。

「お疲れさーん。陽介《ようすけ》くん、おった?」

カウンターの中から飛んできた大西さんの声ですぐに我に返り、鷺沼さんにはちょっと会釈《えしゃく》を返しただけで、奥に入った。

「ちゃんと渡しときました。今度、飲みに行こうって言うてはりましたよ」

鷺沼さんのほうは見ないようにしてカウンターの隅でエプロンを着けた。ソファがある側の二人がけのテーブル五つは、いちばん端の鷺沼さんも含めて全部埋まっていて、それなりに忙しそうだった。

「これ、五番。鷺沼さん。しばらくこっちにいてはんねんて」

大西さんがカウンターにエスプレッソのカップを置いた。

「あ、そうなんですか」

できるだけなんでもないように答えて、トレイに砂糖やミルクを一式載せて、わたしは店の真ん中を真《ま》っ直《す》ぐ歩いた。

「ああ、ありがとう」

鷺沼さんは、瞼《まぶた》の薄い一重の目でわたしを見た。昨日も会っていたような笑顔で、最初にこの店で客同士として会ったときも、こんな顔をしていたというか、わたしを部屋に泊めようが誰かと結婚しようが変われへんのや、と思った。

「仕事ですか？」

カップをテーブルに置いていると、ガラスの向こうにさっき自分が停めた自転車がよく見え、わたしは気づいていなかったけれど停めているあいだ鷺沼さんに見られていたのだと思うと、いっぺんに頬が紅潮するのがわかった。

「うん。川島くんの事務所とやってる仕事で、先週から帰ってきてて」

五か月ぶりの鷺沼さんは、髪が伸びて襟足のところがシャツの襟元で跳ねていた。並ぶテーブルのお客さんたちの賑《にぎ》やかなしゃべり声が、大西さんの今週のお気に入りのボサノバと混ざり合って店じゅうに反響していた。

「もう、来週の水曜か木曜には東京に戻んねんけどね」

「あ、そうなんですか」

鷺沼さんは、テーブルの上でカップの位置をちょうどいいように直し、崩さない笑顔のままわたしを見上げた。

「歌ちゃんに会いたかったし、もっと早く来ようと思っててんけど」

すぐに言葉を返せなかった。わたしは曖昧《あいまい》に笑い、ごゆっくり、とだけ言って離れた。鷺沼さんに向けた背中が気になりながら、鷺沼さんはいつもあの席に座って窓際《ぎわ》が好きなんだと思っていたけれど、大西さんに話を聞かれたくないからかもしれないと思った。

　カウンターの流し台で洗い物を始めたわたしに、休憩したそうな大西さんが自分に入れたアイスコーヒーを飲みながら言う。

「川島さんとこの事務所と、茶屋町の新しいビルのオープニングの仕事してはんねんて。そこに鷺沼さんの奥さんの店も入るらしいわ。東京でも店出すらしいし、すごいなあ」

　鷺沼さんに最後に会ったのは、東京に引っ越してしまう直前の四月だった。淀屋《よどや》橋《ばし》にある前から行きたかったイタリアンレストランでごはんを食べ、地下鉄の改札まで送ってくれた。鷺沼さんの部屋に行くつもりでいたわたしは、冷たい細かい雨の降る道で、鷺沼さんが駅に向かう足をどうにかして方向を変えてくれないかと願っていたけれど、鷺沼さんはただ、うちまで送れなくてごめんね、とだけ言った。その前に二人で会ったときは、鷺沼さんの部屋に行って泊まった。その前に会ったときも、そうだった。だから、三回目もあると思っていたけれどそうじゃなくて、東京に引っ越すまではシュガーキューブスにも来なくて短いメールだけが来た。そのあとすぐに、大西さんからも智佐からも、鷺沼さんが結婚したことを聞いた。

　最初にシュガーキューブスで客同士として鷺沼さんに会ったのは二年ぐらい前で、智佐の友だちが働いているデザイン事務所の元先輩だと紹介された。智佐は帰り道ですぐに、あの人、めっちゃ歌ちゃんのタイプやなあ、と言った。だけど、たまにシュガーキューブスで偶然会うのを楽しみにしているくらいで特に連絡を取り合うこともなかった。バイトを始めて一週間も経《た》っていないときに、お店の三周年のパーティーがあり、そのときに市立美術館でやっていた万国博覧会美術展というのに行きたいという話をした。飲み物やお菓子を出すのに忙しくて気がついたら鷺沼さんが見当たらないので残念に思っていたら、携帯に電話がかかってきて、明日その美術展に行かへん？　と言った。なんとなく、女の人がいるのはわかっていたし、自分が好きになるのはだいたいそういう複数の女の人とつき合える男だというのも年を取るにつれてよくわかっていたのだけれど、ばかなのですぐに行くと返事をした。その日は美術展に行って阿倍野《あべの》の洋食屋でごはんを食べて帰り、その三日後にわたしが電話して、それから鷺沼さんが東京に行くまでの一か月は五日に一回ぐらい会った。そういうとき、わたしは相手とだんだん近くなっていっていると思ってしまう。似たようなことを経験しているのに、今度は違うと思ってしまう。

「あとで牛乳の注文の電話しといてくれへん？　いつもより二本追加で」

いつの間にか違う話をしている大西さんに慌《あわ》てて返事をし、勢いよくお湯を出した。思い出していた鷺沼さんの部屋や声や触った手や体温がまだ残っているような気がして、大西さんにわかってしまうんじゃないかと心配になるけれど、前から不審に思うくらい大西さんはまったく疑っていなかった。歌ちゃんに会いたかった、と鷺沼さんのその声ばかりを頭の中で繰り返している自分を、やっぱりあほやな、と思った。ちらっと盗み見るように目だけを動かすと、鷺沼さんはなにもしないでずっと外を見ていた。

5

八階建てのビルの最上階の、大きな窓のある店のいちばん奥のテーブルだった。その大きな窓の向こうでは、手前の低い雑居ビルを隔てて、スナックやクラブがびっしり詰まった大きなビルの、シースルーでしかも電飾に囲まれたエレベーターが上がったり下がったりするたびに光るから、席についたときからずっと気になっていた。さらにその先には戎橋《えびすばし》の近くに新しくできた観覧車が見えていて、そういえばあれに乗ったという話を誰からも聞かないと思いながら、二杯目の梅酒の烏龍《ウーロン》茶割りに口をつけた。

「へえー、じゃあうちの会社から近いんや。今度お昼食べに行くわ」

向かいに座っている、サラリーマンにしては髪が茶色すぎる男の人が言うと、その左隣の黒のTシャツの人が言う。

「おまえはすぐそれや。ほんまにすぐ行きますからね、こいつ。気をつけたほうがいいですよ」

「いえ、全然。ほんまに来てくださいよ。おまけとかできないですけど」

前回の合コンでは、長いテーブルを挟んで男と女でそれぞれ一列になって座っていたのだけれど、今回は一人ずつ交互になるように配置された。でも、最初は隣にいた黒いTシャツの人が百田さんがトイレに行った隙《すき》に移動したので、今はわたしの右に百田さんがいる。自己紹介のときに四人全員の名前を二回ずつ聞いたのだけれど、向かいの人はどうしても思い出せない。男の人のうち三人は同期入社の三十歳で、わたしの左側、いちばん窓際でさっきからあまりしゃべらないで先輩の話に頷《うなず》いている銀縁眼鏡の人だけが二十五だと言った。前後の文脈を無視して急に、黒Tシャツの人が茶色い髪の人に言った。

「じゃあ、おまえから、今まででいちばん高かったプレゼントは？」

「っていうか、おれに言わせるための質問やろ」

「なになに、すごいもんあげたことあるの？」

斜め前の、百田さんの同僚だという、髪を丁寧に巻いた美樹《みき》ちゃんが、茶色い髪の人に寄りかかるようにして聞く。百田さんによると美樹ちゃんは合コン仲間でいちばん男受けがいいそうで、白いノースリーブのタイトなワンピースという智佐もわたしも絶対着ない洋服に、智佐とやっぱり合コンはああいう格好やな、と囁《ささや》き合った。美樹ちゃんを挟んで茶色い髪の人の反対側に移動した黒Tシャツもじわじわ美樹ちゃんのほうに間を詰めるので、そこだけ窮屈になっている。

「ヨーロッパ旅行、三十万」

茶色い髪の人がわざとらしく手を挙げ、黒Tシャツの人が美樹ちゃんに向かって言う。

「しかも、自分は行けへんねんで。友だちと行くとかって」

「もうええやんけ、忘れたいねんから」

二人は妙にはしゃいで裏返った声で盛り上がっている。隣の百田さんがわたしにこっそり言った。

「オーストラリア留学費用五十万。わたしの勝ちやね」

「えー、それ今の人？」

「ううん。その子はオーストラリア行って帰って来《け》えへんかった。五万だけ返してくれたけど」

まともに仕事が続かない夢見がちな男の子の面倒を見てしまう百田さんはエピソードに事欠かない。居候《いそうろう》状態になった彼氏を追い出したいのに電車代もないというから自転車をあげて帰らせて翌日起きてみたら空気入れまで持って行かれてた、という話が特に好きなんだけれど、五十万までいくと笑っていいのかわからない。百田さんは笑って芋焼酎《じょうちゅう》を飲んでいるけれど。

「そこ、なにこそこそ言うてるねん。あー、もっと高いもん買わせたんやろ」

すっかり酔いが回っているふうな黒Tシャツに大げさに指を差された。

「なになに、鞄《かばん》？　指輪？」

「百田さんは堅実やから、買うてもらうんやったらもっと役に立つもんやんね」

はしゃいでいる二人に挟まれた美樹ちゃんは、こういう状況も慣れているのかのんびりした調子で烏龍茶を飲みながら言った。百田さんの向こうに見える智佐は、ときどきこっちの会話に加わりながらも、向かいのそれなりに男前の人とずっとしゃべっている。わたしの左の眼鏡の人は、海鮮サラダを片づけ高菜チャーハンに取りかかり始めた。

隣のまったく同じ形のテーブルも同じような男女のグループで、そっちの男の人たちのほうがもっと大声で手拍子をしたり単純なゲームをしたりしていた。店員さんを呼ぶのに時間がかかる広い店は、青色の照明が黒い床に反射し、金曜の夜を過ごす人たちを照らしだしていた。いくつかのガラスのパーティションで仕切られた店の中は、ミラーハウスみたいに似たようないくつものグループを展開させている。ちらちらと視界の隅で黄色い光が瞬《またた》き、窓の外に目をやるとレジャービルのエレベーターが上昇してくるところだった。黄色い光を点滅させ、また新しい誰かを連れてきて別の人を運び出す。手前の古いビルの上層階は、屋上や狭いベランダにごみなのか荷物なのかわからないがらくたが詰め込まれ、随分前に枯れたままの観葉植物が風に揺れている。そこにへばりついている非常階段も黒いフィルムが張られた窓も、きっともう使われることはなくて誰も覚えていない。

ゆずシャーベットと白玉きなこサンデーと抹茶アイスが運ばれてきた。お皿をよけて置く場所を確保していると、隣の眼鏡の人、やっと名前を覚えられた小野田くんが聞いてきた。

「あのー、生國魂《いくたま》神社ってどの駅からがいちばん近いんですか？」

「えーっと、上本町《うえほんまち》とかちゃうかなあ。行ったことないから、怪しいですけど」

名前はよく聞くけれど、わたしにはその境内も本殿も形のあるものはなにも浮かばなかった。小野田くんは右手で椅子《いす》の背中に掛けてある鞄を探ったけれどなにも出さなかった。

「そうなんですか。会社の人もみんな知らないって言うんですよね。大阪じゃメジャーじゃないんだ」

「小野田、神社とか寺のマニアやねん。変わってるやろ？」

こっちに関心はないと思っていた黒Tシャツの人が急にそれだけ言って、また美樹ちゃんに向き直った。茶色い髪の人は今は百田さんと話し込んでいる。わたしは小野田くんに聞いた。

「大阪の人じゃないんですか？」

「出身は仙台なんですけど、大学から東京で。今はちょっと手伝いで大阪来てて、来週まで」

「三か月間、めちゃめちゃ殺風景なウィークリーマンション暮らしやから合コンに呼んだってん。せっかくやからもうちょっとしゃべればええのに」

　また黒Tシャツが唐突に参加する。小野田くんは手持ちぶさたに自分の太股《ふともも》を手でさすりながらテーブルを見回した。

「いやー、あんまりこういうの来ないんで」

「寺のほうがええねんな」

　黒Tシャツの人があっちこっち向くのは、だいぶん酔いが進んでいるからで、その小動物みたいな素早い動きはおもしろかった。

「京都に何回か行けたから、よかったです。大阪って歴史あるのにそういうとこ少ないですよねえ。やっぱり戦争で燃えちゃったからかなあ」

今日は写真も葉書もなにも持っていないのを残念に思った。興味があるのはお寺で大阪の街ではないかもしれないけれど、この人にも見てほしかった。

「あ、今、四天王寺で縁日かなんかやってるらしいよ」

「今日で終わりですよ。さすがに平日は仕事で行けなかったんですよねー。心残りだなあ」

アイロンのかかっていないシャツの袖《そで》をまくっている小野田くんを、わたしは敬意を持って見直した。小野田くんは、窓の向こうの深い紺色の空の下に広がっている街を見た。

「大阪って、来る前はちょっと怖かったんですけど、おもしろいですね」

「そう?」

「ベトナムに行ったときに似てる」

去年ホーチミンに行った女友だちが、同じようなことを言っていた。道路に信号がなくて同じツアーの人は怖がって渡るのに困ってたけどわたしら平気やったわ、って。隣のグループがいきなり拍手をし始めた。男の人が一人立ち上がって頭を下げている。気がついてみると、さっきまで満席だった店内は、ぽつぽつと空いたテーブルが増えていた。

「外国、よく行くの？」

「一年に一回って決めてるんです。去年はメキシコでその前がモンゴル。ベトナムは五年ぐらい前」

「いいなあ」

「お寺だったらタイとかおもしろいですよ」

「聞いてないって」

　黒Tシャツの人がまた機械的に振り向いて言い、それを見た美樹ちゃんが笑った。小野田くんはゆずシャーベットを二口ほどで食べてしまい、それから、大阪おもしろいなあ、とまた繰り返した。せっかくとっかかりを見つけたのに、この人は来週帰ってしまって、たぶん連絡を取り合うほどのこともない。このあと会計をして手を振ったら、もう二度と会うことはないのだと思うと、もったいない気がした。きっと、この人だけじゃなくて他の男の人たちにも、それからたぶん美樹ちゃんにももう会うことはない。それを意識していないだけで。先週合コンをした最低な二代目店主チームも、あれっきりだと思うと、会いたくないのに淋《さび》しい気もした。百田さんから聞いた合コンの成功率からいうと、合コンは二度と会うことのない人と会うことなんやな、と感傷的なことを考えてもみたけれど、そうやって油断してるといきなり身近な人の知り合いやったりするねんな、と思いながら店を出て、またタクシーがひしめく東心斎橋の蒸し暑さと喧噪《けんそう》の中を歩いた。

夜だけど明るい歩道に並べられた黒いテーブルで、フラペチーノに載せたホイップクリームをストローですくって、智佐は大きく欠伸《あくび》をした。もう十一時半で、さすがにこの時間になると風が涼しかった。そろそろ終電の時間なのに、ロフトの一階の小さなスターバックスにはまだ人が並んでいるのが、ガラスの向こうに見える。智佐の爪《つめ》の小さな花模様と顔を見比べるようにして、わたしは聞いた。

「よさそうな人やった？　わたしのとこからはあんまり見えへんかったけど」

「そやなあ。こざっぱりした感じやし、ウェルシュコーギー飼《こ》うてはるって言うてた」

犬が好きな智佐は、さっきまで向かいに座っていた人から自分の携帯電話に送ってもらった太ったうす茶色の犬の写真を表示した。赤い首輪が首の肉に埋もれかかっている。

「かわいー。今日の中ではあの人いちばんよかったんちゃう？　美樹ちゃん狙《ねら》いの二人は、なんか世間擦れした感じやったし」

アイスラテのカップを握っている百田さんは、素人《しろうと》の男女を観察するバラエティ番組でも見ているような調子だった。百田さんは合コンが好きだけれど、彼氏を見つけるためじゃないらしい。心斎橋筋は、もうほとんどの店がシャッターを下ろしていたけれど、アーケードの明かりはくまなく通りを照らしていた。向かいの大型カラオケ店の受付に人が並んでいるのが、金曜日の夜という感じがした。ニューヨークチーズケーキとチョコレートケーキをプラスチックのフォークで三人でつついて、ついさっきまであんなにたくさん食べていたのになんでまた食べられるのかなと思った。チーズケーキを飲み込んで、百田さんが言った。

「歌ちゃんは？　最後のほうあの年下の子とようしゃべってたでしょ？」

「なんかおもろい人やった。でも、来週東京に帰りはるねんて」

「まあ、あれよりは絶対良太郎のほうがいいよ。最近、どう？」

「別に、メールとかもけえへんし」

「こっちからしたらええやん。一度は盛り上がった仲なんやし」

智佐は人の恋愛話になるといつもとてもうれしそうになる。

「わたしもその人見てみたいわあ。今度、合コンしようって言うといてよ」

良太郎は合コンなんかしそうにないで、と言いかけて、良太郎のことなんてなんにも知らへんのやったと思い直した。わたしの顔を大きな目で覗《のぞ》き込むようにして、智佐が聞いた。

「鷺沼さんは？　その後なんか言うてきた？」

「なーんもなし。ま、でもなにもしてけえへんからって気になるっていうのがすでに罠《わな》にはまってる感じ。とにかくああいう人は、こいつおれに気があるな、っていうのがすぐわかるんやから」

「で、歌ちゃんはそういう人が好き、と」

智佐の言葉に、深く頷《うなず》いた。はす向かいにも、スターバックスの緑のマークがある。ソニータワーが売りに出されてソニープラザもショールームも地下の映画館も閉鎖されたのに、二階のスターバックスだけ営業している状態が続いているけれど、近いうちにビル自体が取り壊されるらしい。大阪万博の時代くらいの「未来のイメージ」が形になっているこの細長いビルが、子どものころから好きで、長堀通りを眺めるように作られたガラス張りの下りエスカレーターに、売り場をぐるぐる回って遠回りになっても必ず乗った。宇宙船の中みたいな、金属やプラスチックの質感が際《きわ》だった丸い窓のあるトイレももう入られへんねんな、と見上げるとちょうどそのトイレのユニットと配管が各階ごとに外側にくっついて並んでいて、やっぱりかっこよかった。「ブラック・レイン」という大阪で撮影された、いつもこればかり紹介されるので大阪にはよっぽどいい題材がないのかとさびしくなることもある、リドリー・スコットの映画の中で、マイケル・ダグラスがソニータワーの円形のエレベーターから外を見ている場面があった。そのとき彼が見ていた「心斎橋」はほとんど渡る人のいない陸橋だった。十年ほど前に真下に地下街ができたときに解体され、その欄干の一部だけが飾りとして横断歩道の途中に設置されて残っている。今、目の前に見えるそこでは、信号が変わるたびに北側と南側から来た人がぶつかるように擦れ違っている。もっとずっと前には、「心斎橋」は長堀川に架かる橋で、ここから西へ行ったところにある四ツ橋の交差点は、長堀川と西横堀川が交差するところで、四つの橋があった。堀を埋め立てたとき適当に壊していっしょに埋めてしまった橋の石が、地下鉄を通す工事のときに邪魔になって苦労したらしい。そんな話が、なんでわたしは好きなんやろう、と豆乳だから甘くないカフェラテを飲みながら思った。なんで、四ツ橋に四つの橋が架かっていたことを知っただけですごくうれしくて、なんで、できればその四つの橋が架かっている光景を見たいと思うんやろうか。良太郎に頼んでおいたら、四ツ橋の写真もいつかは見つけてくれる気がする。でも、もしかしたら、写真がなかった時代のことかもしれない。

「わたしって、好きなタイプとうまくいくタイプが一致してないねんやろな」

ぼそっと言ったわたしを、智佐が笑う。

「それは、わたしもやん」

智佐がほとんど癖みたいにかき混ぜているフラペチーノは、もうだいぶん溶けていた。

「そういうのって、いつ決まるんやろな。みんなだいたい、歴代のつき合ってた人並べたら、なんとなくベクトルがあるやん。男でも女でもさ」

智佐が言うと、百田さんが声を上げた。

「あー、さっきの美樹ちゃんてわたしが知ってる限り全員、熊《くま》」

「ぜんぜん違う人連れてくるってことはあんまりないねえ。瞼《まぶた》が二重とか癖毛とかみたいなもんで、生まれつき決まってんのかなあ？」

わたしは今まで自分が好きになった人や、智佐やほかの友だちが連れてきた彼なんかを順に思い出した。

「じゃあわたし、ずっと甲斐性《かいしよう》なしにお金持って行かれるの？」

チーズケーキをほおばったまま大げさに驚いた顔を作ってみせる百田さんは、深刻に悩んでいるわけではなくて、それはわたしも智佐も同じで、だから困る。

「いやあ、でも急に思ってもみいへんのとくっつく人もおるから……」

言いかけた智佐の視線が、わたしと百田さんを通り過ぎた先で止まっているのに気づいて、振り向いた。隣のテーブルには細い三つ編みがいっぱいついた女の子が一人で座っていて、イルミネーションが光り続ける携帯電話を握りしめて、濃いアイラインもマスカラも溶けるくらい涙を流していた。

「ほんでな、おまえはぁ……、一人でもええけどぉ……」

テーブルに飲み物はなく勝手に座っているだけの彼女は、三人分の視線にも気づかないようだった。電話の相手が聞き取れないのか、それとも彼女がしゃべれないのか、しゃくり上げながらも一つ一つの単語に力を込めてしゃべった。

「おまえ……、おまえはぁ、一人でも大丈夫やけど、おれは、あいつのことはほっとかれへんねん、って言うねんやん」

わたしたちは思わず顔を見合わせて笑った。

「ほんまにそんなこと言うんや」

「あほや」

「見せてあげたいよな、この状態を」

それから「男ってだいたいさあ」というような今まで何回も聞いたし言ってきたなんの収穫もない話をひとしきりした。そのあいだにも、心斎橋筋を歩く人数は減っていき、信号が赤のあいだでも向こう側がすっと見渡せるようになった。泣いていた女の子は、電話を耳に当てたまま立ち上がり、長堀通りへ出てタクシーを拾った。乗り込むとき、ラインストーンの並んだサンダルが街灯に光った。

「言うてはないけど、思ってるよなあ」

女の子の乗ったタクシーを目で追って、智佐が言いだした。

「なにを？」

「さっきのあほな男みたいなこと。あの人はわたしがおらなあかんねん、みたいなさ。人が言うてんの聞いたら、ほんま、あほちゃうかと思うのに」

　智佐は緑色のストローの先をぱきぱき折っていた。ガラス越しの店内では、同じ緑色のタブリエをつけた女の子が、忙しく動いている。百田さんも、店の中にちょっと目をやってから言った。

「わたしも、思われるよりは思うほうやね。どうなったら、思われるわけ？　おれが守ってやる、みたいな」

「えー、気持ち悪いわ」

　智佐が大げさに舌を出して見せた。

「言葉にしたらそうやけどさ」

　一口残っていたチーズケーキを、これいい？　と言って百田さんは食べた。わたしは今までの失恋を断片的に思い返していた。

「……あほなやつでもいいから、言われるほうを経験してみたい。おれがおらんとあかんねん、とか」

「歌ちゃん、実際そういう人はうっとうしくなるくせに」

いつのまにかつき合いが十年になる智佐がにやっと笑って、わたしは無言で二回頷いた。そろそろ電車乗らな、と百田さんが言い、わたしたちは空いたカップやなんかを分別して重ねた。

「なんか、かなしい」

独り言みたいに言った智佐は、アーケードの明るい光に照らされたドラッグストアのシャッターの前で陽気にギターを弾いている二人組をぼんやりと見た。座り込んで手拍子をしている縞々《しましま》のTシャツの女の子は、夢見るように左側の男の子の顔だけを見ていた。

6

カウンターの真ん中にいつものように陣取った岩橋さんが、事務所の掃除中に見つけたという、自分の会社の創立五十周年記念アルバムを出してきた。

「大きい会社でもないのに、こんな立派なもん作って。そない儲《もう》かっとったんかな」

店を開けてすぐに入ってきた岩橋さんは、牛乳を多めに入れた冷たいカフェオレを、ストローを使わずに直接グラスからがぶがぶ飲んでいた。今日から壁に掛けられているのは、フェルトや毛糸をフレームの中に詰め込んだカラフルな作品で、見たお客さんはたいてい触ってみようとする。大西さんは煮込んでいるカレーの火加減を見ながらキッチンとカウンターを行ったり来たりしている。週明けのお昼前の店は、これから忙しくなりそうな気配に身構えつつも、まだ朝の新鮮な空気があった。

「これ、おれ」

紺地に金の箔《はく》押しで会社の名前が入った表紙をめくって、最初のページにある大きな集合写真を、岩橋さんは指差した。会議室のようなところに揃《そろ》いの作業服を着た五十人ほどが四列に並んでいて、最前列右端の禿《は》げ上がったおじいさんの陰に隠れるように、小学校に入るか入らないかぐらいの男の子が立っていた。

「妙なとこでケチって白黒写真やからえらい昔に見えるけど、おれは歌ちゃんとあんまり年変わらへんのやで」

「このときに五十周年やったら、今ってもう八十年ぐらいですか？　老舗《しにせ》なんですねえ」

「そうやろ。おれ、めっちゃ温室育ちのぼんぼんやねん」

「ほんまのぼんぼんは、そんなこと言いませんよ。わ、えらい古い写真ですねえ」

キッチンから出てきた大西さんがアルバムを覗き、かすれた版画のような古い写真に見入った。

「これなあ、大阪駅のすぐ前らへんやて。ほら、このうしろに見えてんのが昔の大阪駅。昭和の最初のほうや」

国会議事堂や中之島《なかのしま》の日本銀行を連想する石造りの四角い建物の前には、市電が行き交って、見えないけれど土埃《ぼこり》がたっていそうだった。うしろにも手前にも高い建物はなく、黒くて背の高い車の前で男の人二人が並んで立っていた。

「なんか雰囲気ちゃいますね」

「でも、こっちに阪急が写ってるやろ」

「あっ、ほんまや。へえー」

右隅に今とほとんど変わらない阪急百貨店の建物を見つけると、いっぺんにどこかわかって、その場所を想像できるようになる。建設会社だから、竣工《しゅんこう》時の記念写真が多く、煉瓦《れんが》造りの立派な建物がいくつも写っていた。道幅が狭いわりに、両側の建物が低いせいか、すかすかした印象の町並みを、丸っこい帽子を被《かぶ》った人や着物の女の人が歩いている。歩いているというか、そこにいた一瞬を、撮られているという意識もなく、空中で静止したみたいに焼き付けられている。道が土や、と思った。今ではそんな道は、どこにもない。

「これが戎橋《えびすばし》やから、こっちがかに道楽のあるとこやな」

岩橋さんは、自分も知らない時代の写真なのに、自慢げに解説をした。でも、岩橋さんは知らなくても、岩橋さんのおじいちゃんやお父さんや、それから記念写真に写っている従業員の人たちの中には、この中の景色を実際にその目で見た人が確かにいると思うと、写真の中の世界に近づく手がかりがあるような気もするけれど、話を聞いてみればいいのか案内してもらえばいいのか、それも少し違うとも思えた。

「あれ、これなんですか？」

身を乗り出してアルバムをめくっていた大西さんが、ページの下の方から白黒写真を抜き出した。

「なんやろな。よう知らんけど、挟まっとったんや。工事したか、知り合いの家かなんかちゃうか」

アルバムの中にあるようなビルの写真が三枚と、あと二枚、同じ家の写真があった。そこに写っているのは、狭い道の突き当たりにある普通の民家らしい二階建ての木造家屋だった。一枚は二階まで入るように引いて撮られていて、手前の石畳の道で坊主《ぼうず》頭の子どもが三人しゃがみ込んで地面をつついている。周りも同じような黒い瓦《かわら》に白い土壁の小さな家が並んでいた。もう一枚はその家の玄関で、引き違いのガラス戸をぐるりと囲むように、薔薇《ばら》のアーチが作られていた。薔薇はちょうど季節のようで、満開の大きな花がいくつもついていた。ほかにも、丸い花のついたのや細長い草みたいな鉢植えが所狭しと並べられていて、白黒で花の色がわからないのが残念だった。どちらの写真にも、住人らしき人の姿はなかった。

「大黒橋、って書いたあるわ。大黒橋ってあれか、湊町《みなとまち》の高速の入り口のとこの階段のある橋」

写真の裏を返して見た岩橋さんが言った。何日か前に、この席で道頓堀川で泳いだ話をしていたおっちゃんが住んでいたあたりじゃないのかなと思って、わたしは写真を手に取り、じっと眺めた。

「あげよか、それ」

わたしがあまりにも写真を見つめていたせいか、岩橋さんが言った。

「なんの写真やわからんし、歌ちゃんが持っててもええやろ。集めてるんやろ、そういうの」

「ほんまですか？　ありがとうございます。もし、なんかいるもんやったら返しますから」

「いちばん古株の人に聞いてもわからんかったし、もう誰も覚えてる人もおらへんやろ。まあ、ほんならいちおう預けてるいうことにしといて」

カウンターの下につっこんでいる鞄《かばん》に写真をしまうと、お客さんが入ってきた。ときどき来る、おじさん二人組だった。一人は山吹色のアロハシャツにショートパンツ、もう一人は対照的にダークグレーのスーツをきっちりと着込んでいる。お水を持っていくと、スーツのほうのおじさんが、

「ぼく、アイスコーヒー。センセは、アイスティー」

と言った。このおじさんは声が大きいのでたいていい会話が聞こえてしまうのだけ

れど、いつも年の割にカジュアルな、アロハシャツのおじさんのことを「センセ」と呼ぶ。医者、弁護士、教師、美容師、と大西さんと「先生」と呼ばれる職業を当てはめてみたこともあったけれど、結局なんの仕事なのかわからないままだ。色の違う液体の入ったグラスをテーブルに並べているあいだも、どっしりと足を広げて座ったスーツのおじさんは大声で話し続ける。

「そやけどなあ、センセ、ほんま最近の議員言うたら腰抜けですわ。アメリカや中国やいうたかて、昔はもっとはっきり筋通すとこは通してましたで。だいたい今の価値観で昔のことを断罪しようっちゅうのが殺生《せっしょう》ちゃいまっか？」

「そやなあ。昔には昔の事情があるがな……」

「センセ」のほうは、いつもソファ側に行儀よく座り、珍しい外国の煙草《たばこ》を毎回種類を変えて吸っていた。今日は、焦《こ》げ茶色の包みだった。カウンターに戻っても、途切れ途切れに声が耳に入ってくるけれど、全体の話がわからないので余計に気になってしまう。

「そんなん言うたら、秀吉《ひでよし》なんかえらいことでんがな。……ほんまに、センセみたいな人が選挙出てくれはったらわたしら死ぬ気で応援さしてもらいますのに……」

秀吉？　選挙？　思わず顔を上げたら、またアルバムに見入っていた岩橋さんの顔がすぐ前にあった。岩橋さんは言った。

「こういうの見てたらな、おれがちまちまやってることも、無駄とちゃうねんなって気ぃするんや。だって、こうやって一つずつ作ってきた建物が今の街になってるわけやろ。せっかく作るんやから、後に残って、褒められるようなもん作らな。展望っていうもんが必要なんやで。そう思うやろ、歌ちゃん」

ドアが開き、近くの会社の制服を着た女の人たちがぞろぞろと入ってきた。彼女たちは財布や小さいビニールのバッグだけを持っていて、わたしも去年まであやってお昼を食べに行っていたなと思いながら、並べたグラスに水を注いだ。忙しいお昼の始まりの緊張感が、だんだん好きになってきていた。

「あれ……。歌ちゃん」

一気に引いていったお客さんたちが散らかしたテーブルを片づけていると、大西さんが声をかけてきた。意味ありげな目で指し示している表を見ると、店の前で良太郎がバイクを停めているのが見えた。

「約束してたんや」

智佐から話を聞いた大西さんは、キッチンから顔を出した慎次くんと意味ありげに肯《うなず》き合った。

「そんなんじゃないですって」

言い返してから、良太郎がちょうどドアに手をかけた瞬間に、わたしはドアを引いた。外のぬるい空気と店の中の冷えた空気が、混ざり合う。

「ああ、こんにちは」

良太郎はヘルメットを被ったまま、ちょっとびっくりしていた。手には大きな紙袋とレコードショップのＬＰサイズの袋を提げていて、レコードが五枚ほど入っているのが見えた。

「ランチは、もう終わってんけど」

後ろ手にドアを閉め、原付のそばに立って聞いた。良太郎は店の中とわたしを交互に見た。良太郎のうしろで、向かいの設計事務所の顔見知りのおじさんが電話を片手に部屋の中を歩き回っているのが、ガラス越しに見える。

「えっと……、これ、渡そうと思って」

紙袋の中から、良太郎が出してきたのは二十センチメートルほどの六角形の缶だった。赤い花柄の紙が貼《は》られているけれど、古くてところどころ剝《は》がれたり凹《へこ》んだりしている。

「四天王寺さんにはなかってんけど、昨日、友だちと滋賀まで競《せ》りに行ってきて」

締まりのゆるい蓋《ふた》を取ると、写真が入っていた。

「解体した家の荷物とかが一山なんぼであるんやん。その中に入ってた」

写真は十枚ほどで、端が反っていたり皺《しわ》になったりしていた。コントラストの弱い、全体的に明るい灰色の白黒写真で、どれも水が乾いた後のような黄色い染《し》みができているけれど、写り自体は鮮明だし歩いている人やビルからしても四、五十年前ぐらいに見えた。

「それ、心斎橋みたいやから」

いちばん上にある写真は、大丸心斎橋店の御堂筋側の玄関前だった。人通りの多い歩道で、白い帽子を手で押さえて笑っているワンピースを着た女の人のぽっちゃりとした体の感じが、妙に生々しく感じられた。幅の狭い道路を白い営業用のワゴン車が二台続けて通り、良太郎は少しわたしのほうへ寄った。

「ありがとう。あの、お茶飲んでいく？」

見上げると、良太郎の首筋には汗が流れていた。もみあげの短い髪も、汗で湿っていくつかのまとまりになっている。

「いや、もう、次行かなあかんし……。あのー、これもあげるわ」

良太郎は、レコード屋のロゴがオレンジ色で印刷された半透明の袋に重そうに入っているレコードのうち一枚を抜き出した。トリコロールカラーでデザインされたアルファベットに、黒人のグループ三組の写真が配置されているジャケットだった。

「さっき行ったレコード屋で五枚買ったら一枚おまけやってん。たぶん六〇年代ぐらいのスカっぽいのんと思う」

ジャケットに並んでいる名前は、どれも知らなかった。そんなに古いものではなく、比較的最近に出たコンピレーション盤みたいだった。良太郎は、相変わらず眩《まぶ》しいような難しい目つきで、笑ったりはしていなかった。

「ありがとう」

と言って、そのレコードが出てきた袋を何気なく見ると、銀行の通帳が五冊透けて見えた。

「なにそれ？」

わたしの視線を追った良太郎は、すぐに答えた。

「通帳」

「なんでそんなにあんの？」

「ああ、ネットオークション用にいろいろ分けてんねん」

「あかんって、そんなとこ入れてたら」

大きな紙袋を両手に提げたおばちゃん二人が南から歩いてきて、しゃべりながらわたしたちのほうをちらっと見た。反対側から、ピザ屋の配達のバイクが走り抜けていった。

「だって、ひったくりとか……、っていうか、職務質問されるで」

言いながら、笑いがこみ上げてきてちゃんとしゃべれなかった。

「そう？　気いつけるわ」

良太郎は、なぜか照れたように笑い、手で通帳の部分を隠した。わたしはおかしくて、笑うのが止まらなかった。

「うん。気いつけてね」

そのままバイクにまたがった良太郎を見送って店に戻ると、大西さんがカウンターの前で待ちかまえていた。

「なにそれ、プレゼントか？　お茶の一杯でも飲んでいってもらいーな」

「忙しいねんて。バイトの途中で」

わたしは缶とレコードを隠すようにしゃがんでカウンターの下の鞄の陰に入れた。

「そうか？　歌ちゃんが追い返したんちゃうんか？」

「違います」

言ってから、もしかしてほんとうは良太郎はお昼を食べにきたのかもしれない、と思った。このあいだ店に来ないことを申し訳なさそうに言っていたのを思いだして、すごく悪いことをした気がしてきた。岩橋さんにもらった写真も見せればよかったのに、慌《あわ》てていたからか全然思いつかなかった。真ん中のテーブルの、長居している学生っぽい女の子たちのテーブルに水を注ぎ足しに行って洗い物を始めても、大西さんはまだにやにやしていた。

「けっこう男前や思うねんけど。つきおうたらええやん」

「そうやって大西さんとか智佐が盛り上げようとするから、よけいしゃべりにくいねん」

「っていうことは、もっとしゃべりたいねんやろ」

「なんでもそっちに結びつける」

「いらっしゃいませ」

大西さんは知らん顔をして、入ってきたカップルに声をかけた。

いちばん奥のテーブルで、慎次くんに作ってもらったアンチョビのピザトーストを食べた。午後三時過ぎのシュガーキューブスは、昼過ぎからいる女の子二人がまだしゃべり続けていて、それから大きいテーブルでは主婦らしいグループが問屋で買った品物を分配している。大西さんはカウンターで、家具屋をしている友だちと話していた。

お皿と冷たいカフェオレのグラスをテーブルの端によけて、良太郎にもらった写真を眺めた。まず、普通の家の前や写真館で撮った写真が三枚ずつあった。それぞれに写っている人に同じ人は見当たらず家も違っていて、もしかしたら家族の持ち物ではなくて、写真屋さんか写真が趣味の人が持っていたものなのかもしれないと思った。

それから、心斎橋が写った三枚の写真を横に並べた。変色した印画紙の表面で、御堂筋に面した大丸心斎橋店の建物は、茶色い煉瓦《れんが》と白い石が組み合わされたアールデコ調のファサードの今とまったく同じ形でしっかりと立っていた。奥には、今はもうないけれどちゃんと覚えているそごうの縦縞《じま》の外壁が見えた。タクシー乗り場の前にドアマンがいるのも今と変わらない。ただ、真ん中に写っている女の人の、はればったいようなふくよかな顔やウエスト位置の高い白いワンピースや、銀杏《いちょう》並木の歩道を行く人たちのずんぐりした服装が今といちばん違っていた。わたしが生まれるよりずっと前だけれど、古いドラマや映画で見たことがあって想像がつくくらいの年代。次の写真は、どこかわからないけれど立派な石造りの建物で、手前にボンネットが張り出した黒い車が停まり、そこにもたれるようにきっちり髪を分けて三つ揃《ぞろ》いを着た男の人が立っている。老《ふ》けているような気もするし、もしかしたら今のわたしよりも年下かもしれないその人は、気取ったポーズで斜め上を向いて笑っていた。もう一枚は戎橋《えびすばし》だった。特に誰を撮ったというわけでもないようで、今と比べると黒くて重い髪型の女の子や細いズボンの男の人が広い橋の上をばらばらと歩いていく様子が写っている。奥から手前に歩いてくる水玉のワンピースの女の子だけが、こちらに気づいて怪訝《けげん》そうに見ている。右奥には「キリンビール」の文字とキリンビールのラベルと同じキリンの絵がある建物があって、初めて知ったその四角い建物を、このあとでここにキリンプラザが建ったのかと思って眺めた。妙にかさかさした印画紙の手触りを確かめながら、氷の溶けたカフェオレを吸い上げてしばらくじっと見ていた。

「いらっしゃいませー」

ひときわ大きい大西さんの声にドアを見ると、軽く会釈《えしゃく》をして鷺沼さんが入ってきた。すぐにわたしに気づいて、またいつもと同じ顔でちょっと笑うと、ドア横の席に座った。わたしはなるべく気にしないふうに、ただお客さんが来たしお昼も食べ終わったから休憩を切り上げるという感じで写真と食器をゆっくり片づけた。誰にそんな自分をアピールしているのかばかばかしくも思うけれど、どうしても鷺沼さんにも大西さんにも見られているような気がしてしまう。

ジャスミンティーのポットと湯呑《の》みを持っているあいだ、鷺沼さんが黙ってわたしの手を見ているから緊張した。いつも爪《つめ》は塗らないけれど、こういうときはちゃんと塗る習慣があればよかったと思ってしまう。智佐みたいに。ごゆっくり、と言うと、鷺沼さんはようやくわたしを見上げた。白いシャツに見覚えがあった。

「月末に帰るわ」

「あ、そうなんですか」

「その前に、ごはん食べに行こうよ。なんか食べたいもんある？」

ジャスミンティー、と注文するのと変わらへん顔や、と思った。長居している女の子たちが、すぐ横で甲高い声で笑った。ガラスの向こうの通りを宅配便の背の高い車がゆっくりと走り、わたしは黒猫の親子を目で追った。


マンションの十階にある自宅には、いつものようにまだ父も母も帰ってきていなかった。大学から横浜に行ってそこで結婚した姉が送ってきたラーメンセットから一つ選んで作って食べ、洗濯物を取りにベランダへ出た。子どものころに比べると高い建物が増え視界が遮られるようになってきたけれど、それでも東向きのベランダからは大阪の中心街の明かりが見えた。結構距離があるので、道頓堀のネオンが見えたりはしないけれど、白や黄色の光が集まっているいくつかの場所を、梅田や難波だと見当をつけることはできる。本町は夜になると派手に光るランドマークはないので、中央大通りを走る阪神高速のライトが手がかりになる。自分は毎日あのへんにいるんやな、と思うと、数え切れない小さな光に安心するような気持ちになる。生まれたときから一度も引っ越すことなく住んでいるこの街の、夜の明るさが自分は好きなんだと思う。母がベランダに詰め込むように置いている鉢植えから、ひんやりとした湿気が這《は》い上がってきた。もう夜は真夏みたいな苦しい暑さはなくて、いつも真夜中近くまで干しっぱなしの洗濯物も、湿っぽくなってしまう。

テレビのニュースをつけっぱなしにして、洗濯物を畳んでいると、携帯電話にメールが来たことを知らせる音が鳴った。寝転がって部屋の隅に置いていた電話まで手を伸ばして開くと、良太郎からだった。

「8チャンで昔の大阪が映ってる」

慌ててリモコンを摑《つか》んでチャンネルを変えると、白黒の粗い映像が目に入った。薄暗くて見える範囲も狭いので全体の様子がわからないけれど、着物に黒縁の丸い眼鏡の男の人が、座卓を前にして大笑いして踊っている。座卓の上には鍋《なべ》とビール瓶が並び、画面の両端に女の人らしい着物が見える。音声はなかった。少ないコマ数のせいで、早回しのような固いコミカルな動作で男の人は座卓を一周し、女の人の手が拍手した。屋形船ですき焼きの宴会です、とナレーションが聞こえた。メールの返事も打てずに、わたしは画面に見入った。ほんの二十秒ほどなのにもっと長く感じたその四角い映像の中で、どこの誰なのか、もうきっと知ってる人はいないその人が、確かにそこにいた。映像は急に、現在のＶＴＲに切り替わり、古いフィルムを集めているという男性の、倉庫にしているマンションの一室が映った。

「すごい」

わたしは急いでそれだけ返信した。情報番組のなかの特集コーナーのようだったけれど、もしかしてもう昔の映像は終わりなのかなと、チャンネルを変える前に流れた分のことを残念に思った。インタビューに答えている男性は、古い映像をお年寄りに見せて元気になってもらうという活動をしているらしかった。

「おもろいな」

良太郎の返事も短かった。お年寄りを集めての上映会の映像になり、そこで映されるフィルムに画面が切り替わった。町内会の運動会の様子で、パン食い競走で走る男の人たちやお弁当を食べる家族が映った。撮った人の娘なのか、下ぶくれで目が細い十歳ぐらいの子がカメラに向かってなにか言っている。全然知らない場所の知らない人たちなのに、胸の奥のあたりがざわめいてずっと見ていたくなる。映画やドラマとなにが違うんやろう、と思った。古い時代を舞台にした映画やドラマもよく見るけれど、それでこんな気持ちになったりはしない。実際の写真や映像を資料にして同じような景色を再現し同じような服装をしているのに、それを見て驚いたりなにかを実感することはほとんどない。作り物だから、ということもあるかもしれないけれど、だけどそうやって作られた映画も、時代を経たものを見ればたとえばそれが時代劇でも、江戸時代ではなくてやっぱりそれが作られたそのときを感じる。そのときのその場所に存在した、なにかを。

それからテレビは、放送局が所蔵している大阪の映像を流し始めた。白黒で、戦前や戦争のときの、坊主頭《ぼうず》で裸足《はだし》に着物の子どもたちが遊んでいる姿で、前にも見たことあると思っていたら、画面がカラーになった。終戦直後の焼け跡を、人々が荷物を載せたリヤカーを引いてぞろぞろと歩いていた。

突然、わたしはその光景が実際にあったものなのだと強く感じた。その映像の中に映っていることが存在して、そのあと何十年かの時間が流れて、わたしが今いるここになっているのだと、思った。こんなに古いカラー映像を見たのは初めてだった。色は鮮明というか、最近撮られたものよりもかえって濃いくらいの色調で、瓦《が》礫《れき》に覆《おお》われた街の上に広がる空が、とても深い青だった。

「すごいな」

良太郎からメールが来た。

「うん。すごいわ」

わたしは返信した。それから映像は、白黒にもどって大阪駅前の闇市《やみいち》や大きな台風で浸水した街の様子が映し出された。古い木造家屋に住んでいた友だちの家に遊びに行ったとき、ジェーン台風だったか第二室戸台風だったかの浸水の跡だと、玄関の壁にうっすらと残る水平の線のようなものを見せてもらったのを思い出した。

そのあと、カラーだったりモノクロだったりしながら、心斎橋の繁華街を歩く女の子たちや高度成長期のビルや道路の建設ラッシュや、夏祭りの映像が続いた。自分しかいない四角い部屋で、ぺったりと座り込んでわたしはその映像をただじっと見ていた。わたしがまだいない時間の、この街の風景。知っている建物だけが、そことわたしを繋《つな》ぐ。メールが来た音が鳴った。

「こういう映像を見てるとどこぞで同じ時間を父母が生きとるんや、とか思う。自分の死後を見ているかのような気分にもなる」

しばらく、どんな言葉を返せばいいのかなにも思いつかなかった。喉元《のどもと》が詰まったような感じがして、泣きそうなのかな、と思った。映像が終わり、スタジオに並ぶアナウンサーやゲストのタレントが思い出話を始めた。一つ息をつくと、体に力が入っていたのがわかった。

「うん。そうやね」

わたしは、それだけ文字を並べて送信した。それから、やっぱり足りないと思って、ありがとう、と送った。良太郎からはすぐに、いえいえどういたしまして、と返事が来た。少し涼しくなってきたので、わたしは立ち上がって掃き出し窓を閉めた。自動車の音が、すうっと消えた。ガラスの向こうには、大阪の街がさっきと変わらず瞬《またた》いていた。この街を、自分で選んで住んだのではないし、姉も引っ越したし両親ももうすぐ出ていってしまうけれど、わたしはずっとここにいる気がした。良太郎と話したかったけれど、電話しなかった。昼間にもらったレコードを、プレイヤーがないので自分の部屋の棚の上に立て掛けてみた。

7

長堀通りを渡ってすぐの角が工事用のシートに覆われて、頭にタオルを巻いた若い男の人たちが残暑にうんざりした様子で資材を運び込んでいた。コンクリート打ちっ放しの使いにくそうな形の建物の、大きなガラス張りの一階店舗は空っぽになっていた。高級ブランドの店があった気がするけれど、自分が好きなのではなかったし、はっきり覚えていない。もう一本西の筋だったかもと思いながら、四角く区切られた街を歩いていった。

見落としそうな路地の奥の背の低いドアを開けると、インドネシアの煙草《たばこ》の匂《にお》いがした。竹を編んだパーティションの裏側のテーブルにはもう智佐と良太郎がいた。

「お疲れ。わたしらもう頼んだで」

足の高さが合っていなくて安定の悪い椅子《いす》に座って、智佐からメニューを受け取った。小さい店の三つしかないテーブルは全部埋まっていて、奥の席で煙草を吸っているレインボーカラーの絞り染めTシャツを着たとても髪の長い女の子は、シュガーキューブスでもときどき見かける。

「ほんでな、きゅーきゅーって音がするから、振り向いたら一家で歩いてんねん。親が一匹、子どもが三匹」

両手を前足のように動かした良太郎に、また新しい紫色のニットを着ている智佐が身を縮めた。

「うわー、まじで？」

「なんの親子？」

「鼠《ねずみ》」

良太郎が短く答えた。二人のカレーセットを運んできた顔見知りのお店の男の子に、タンドリーチキンカレーセットを頼んだ。

「良太郎の家、っていうか友だちの家やけど、今、鼠と抗争中やねんて」

智佐は自分の話みたいになぜか得意げにわたしに言って、薄っぺらい銀色のお皿に載せられたナンをちぎった。

「ああ、友だちの家に住んでるんやったっけ。二人で住んでんの？」

「いや、そいつの家族、奥さんと子ども二人やけど、が一階で、二階におれがおんねん」

「え、子どもとかおるんや」

「うん。三歳と一歳。上の子が小学校行くまではええって言われてんねん」

　昨日のお昼休みも良太郎と四ツ橋の定食屋でごはんを食べた。今日は智佐と先に話が盛り上がっているせいか、ずっと前から三人でお昼を食べる習慣があったみたいに思えた。智佐がナンをつっこむカレーからココナッツミルクの匂いがする。

「一回遊びに行ってみたいわあ。なあ、歌ちゃん」

「ああ、ええで。子どもの相手してくれたら喜ぶやろし」

　良太郎は緑色のカレーを、サフランライスに全部かけてスプーンでがさっと混ぜた。

「鼠おるんやろ？」

「いや、もう鼠取りで取って捨てたし。めっちゃ気持ち悪いでー、あいつら。ちゃぶ台とか台所とかに置いてたパンもバナナも齧《かじ》られて」

「最初、子どもが怒られてたんて。かわいそ」

「あれ、出入り口塞《ふさ》がんと、またすぐ入ってきますよ」

わたしのタンドリーチキンカレーセットを持ってきたお店の男の子が、話を聞いていたのか良太郎にそう言った。

「いちおうね、換気口に金網とか付けたんですけど」

「ちょっとずつ外していくからね、やつらは。かなり頑丈にしといたほうがいいですよ」

「ああ、がんばります」

真剣な顔つきの男の子に、良太郎も笑わないで頷《うなず》いた。ここも古い木造家屋を改装したお店で、水色のペンキで塗った窓の木枠は歪《ゆが》んでいたし、雰囲気はいいけれど実際に住むとなると苦労も多いんやろうなと、東南アジアっぽい鮮やかな深い色の布があちこちから下がっている空間を見回した。

三人分のラッシーが運ばれてきてから、わたしはようやく良太郎に見せようと思ってきた岩橋さんにもらった写真のことを思い出して鞄《かばん》を探った。

「あ、お客さんがくれた写真てこれ」

「なに、誰の家？」

テーブルに置いた写真を智佐が覗《のぞ》き込む。いつの間にか、店の中はわたしたちだけになっていて、キッチンにいる二人の店員さんは一息ついて今晩遊びに行く相談をしていた。

「知らん人。たぶん湊町《みなとまち》のほうらしいけど」

「めっちゃきれいな。なかなかこんなええ状態のんないで」

良太郎は写真の裏表を返して何回か見て、それから智佐に渡した。

「歌ちゃん、前もこんなん持ってたね」

「集めてるねん、って言うほどでもないけど」

智佐の手にある写真を、わたしは横からじっと見た。当たり前だけれど、写真の中の灰色の薔薇《ばら》は変わらず満開で、何度も見ているうちにあんまりにもたくさん花がくっついているから、作り物じゃないかという気がしてくるくらいだった。このあいだ道頓堀川で泳いだ話をしていた問屋のおっちゃんが店に来たら、この写真を見せて聞いてみたいと思っているのに、あれからあのおっちゃんもいっしょに来ていた人も一度も見かけない。わたしは智佐に、良太郎にもらった心斎橋と戎橋《えびすばし》の写真も見せた。そっちのほうが智佐は興味があるみたいだった。

「昔の心斎橋って、歩いてる女の人の服がかわいくていいやんね。こんなん見せたら、うちのお母さん、語り出しそう。わたしもこんなん着てモテモテやってんから、とか」

「智佐のお母さんて、このへんで遊んではったん？」

「そうそう。心斎橋筋のけっこう流行《はや》ってた洋服屋で働いてたらしいで」

智佐は写真をテーブルの上に並べた。大丸の前の白いワンピースの人より智佐のお母さんのほうが随分若いはずだけれど、こんな感じで御堂筋に立っていたことがありそうに思えた。

「ふーん。ええなあ」

「そう？　なんか似たような道辿《たど》ってるから、気恥ずかしい感じやわ。……写真見たいんやったら、今度実家帰ったときお母さんに聞いてみよか」

「ほんま？　見たい見たい」

「そんときは、おれにも見せてな」

それから三人でそれぞれのラッシーを吸い上げながら、黙って写真を見ていた。白いワンピースの女の人の写真を手に取って見ていた智佐が言った。

「この人も、わたしらみたいに、このワンピース心斎橋で買《こ》うたり、誰がかっこいいとか言うたりしてたてんやろな」

「ああー、そういうの、考えたらなんかうれしいよなあ」

良太郎が、お腹《なか》の底から実感したみたいな声で言った。その楽しそうな顔を見て智佐は笑った。

「同じ大丸の前に立ってるっていうだけで、めっちゃ親近感湧《わ》くやんな。やっぱり、歌ちゃんはこういうのがおもしろくて写真集めてるの？」

智佐がテーブルに置いた写真の中の大丸は、ほんとうに今と違うところを見つけるのが難しいくらいだった。

「そうやなあ。なんで知ってる場所やからってこんなに気になるんかなあ。そんなに愛着があるんかな。わたし、大阪で生まれたし、ずっと大阪に住んでるし」

ストローでとろとろしたラッシーのグラスをかき混ぜると、氷が鈍い音をたてた。薄日が透けている磨《す》りガラスの外を、連れだって歩いていくおじさんの声が聞こえた。

「それやのに、ちゃんとした大阪の言葉も食べ物とかも知らへんけど」

「どっからどう聞いても大阪弁やん」

智佐がわたしの背中を叩《たた》いて笑った。

「いや、ほら、こいさんいとはんみたいなんあるやん。にぬき、とかさ」

「そんなん、今どき誰も使わへんて」

また智佐が笑った。

「そらそうやけど。なんていうか、自分が今歩いてるここを、昔も歩いてた人がおるってことを実感したいねん。どんな人が、ここの道を歩いてたんか、知りたいって言うたらええんかな？　自分がいるとこと、写真の中のそこがつながってるって言うか……。だんだんなに言うてるんかわからんようになってきたけど」

言葉を選んで言っているつもりなのに、写真を見た瞬間のあの実感を説明するのには全然足りなかった。最初に空中写真で焼け跡の心斎橋を覗き込んだときの、あの感じ。なんとかして、あの感じやそれ以上の感覚をもたらすものに出会えないかと思って、わたしは写真や映像を見ている。自分が知っている場所のほうが、その感じが強くあるっていうだけのことなんだけれど。どの道をどこに行けばどんな景色があるかすぐに思い浮かぶくらい、わたしはここを知っている。わたしは、このあいだテレビで古い映像を見ながら良太郎が送ってきたメールを思い出していた。大阪を映したあのフィルムに、わたしの両親や親戚《しんせき》が映っている可能性はほとんどないけれど、あの同じ時間に離れた場所で父と母はそれぞれの生活をしていた。そして、あのフィルムに映っていた知らない人たちは、もういないかもしれないし、心斎橋で擦れ違っているかもしれない。良太郎は鼻の頭を掻《か》き、壁に掛けられている誰かがインド旅行に行って撮ってきたらしい写真に目をやった。赤やピンクのサリーを着た女の人たちが、駅で電車を待っていた。

写真を重ねて鞄に収めていると、智佐が言った。

「おっちゃんとおばちゃんが愛媛やったっけ、に引っ越すんて来年やった?」

「なに?　ウタさん、引っ越すん?」

ぼんやりしていた良太郎は、急に大きい目をわたしに向けた。

「ちゃうちゃう。うちの親が、前からお父さんの田舎の愛媛で店をするんが夢で。あ、今も北浜で料理屋をしてるんやけど、そこをやめて海が見えるとこで一日に客一組限定みたいなさ、そういうのをやるんよ。年末に引っ越して」

「せっかくこっちでやってる店たたむなんか勇気あるなあ」

近いうちに自分もお店を出したい智佐は、肘《ひじ》をついて顎《あご》を載せた姿勢で、うちの両親のことではなくて別のことにも思いをめぐらせているみたいだった。

「二人とも海がきれいなとこで暮らすのがいちばんやってしょっちゅう言うてたし、いうたら定年して半分趣味みたいな感じちゃう？」

最近両親は月に二度は愛媛に行き、だんだん具体化してくる新しいお店の図面や写真をわたしにも見せる。両親が愛媛で始める新しい暮らしも、それからのわたしのことも、まだうまく想像できなかった。

「歌ちゃん、一人暮らしするんやろ？」

「そのつもり」

「今のバイトやったらしんどいんちゃうん？」

お金にはシビアなところがある智佐が、あっさり現実をつきつける。

「仕事、せなあかんねんやろうなあ」

と言ってはみたものの、まだ自分の生活を全部自分で面倒見ることに、現実味がなかった。智佐とお金の感覚がそんなに違わないつもりでいたけれど、ずっと親元で暮らしているとやっぱり甘くなってしまうのだと、最近になってようやくわかってきた。

「おれ、バイト辞めんねん」

唐突に、良太郎が言った。

「えっ、なんで？　楽でおもろそうやから羨《うらや》ましいぐらいやのに」

と、智佐が先に返した。良太郎は時間を気にしているのか、テーブルの上に置いたままの携帯のディスプレイにちらっと目をやりつつ、答えた。

「いや、だから、ずっとやってしまいそうやから」

わたしは、まだ見慣れていない良太郎の顔を見た。大きい目が、ぐるっと動いてわたしと智佐を見た。ドアが開いて、高校生ぐらいの女の子が三人入ってきて奥のテーブルについた。

「次、決まってんの？」

「全然。当分、レコードとか売らなあかんなあ」

良太郎は照れたように笑った。観察するようにその顔をじいっと見ていた智佐が、ちょっと楽しそうに言った。

「っていうか、仕事探しいや」

「そやな」

良太郎に合わせるように小さく頷き、わたしはラッシーの味の付いた氷を噛《か》み砕いた。女の子たちの注文を聞いてまた忙しく動き出したキッチンの二人を見ていると、今の仕事も好きなんだけど、と思ってしまう。良太郎が、ほんなら行くわ、と言った。


自転車を押して南小学校沿いの道を歩きながら、智佐はうれしそうだった。

「なんか、ええ感じやん。いつのまに」

「そう？　普通の友だちって感じになってるで」

夕方から開く飲食店はそろそろ開店の準備で、暖簾《のれん》を仕舞ったままの扉の向こうは明かりがついていて人がいるのが見える。ビールケースを台車に載せた男の人が、大きな音を響かせながら走っていく。角の手前に焼き肉屋らしい新しい店ができていて、おいしそう、今度行こうよ、と言い合った。

「でも、明日も二人でごはん食べるんやろ。歌ちゃんと、合ってると思うけどなあ」

良太郎とバイトの休憩時間が合う日は、いっしょにごはんを食べようということに話しているうちになっていた。それは智佐も同じなんだけれど。

「どこらへんが？」

「なんとなく」

なにそれ、と言い返すと智佐は笑って、それから横切る車の列が途切れるのを待つあいだ、わたしも智佐も黙っていた。暑い、というほどでもなかったけれど、周りのコンクリートから跳ね返ってくるようなむっとする熱気を含んだ空気に、いつになったら秋の服が着られるのかなと思った。歩き出してから、智佐が声の高さを一段階下げて言った。

「まあ、合ってるとかいい人とかで好きになってうまくいくんやったら、苦労はせえへんって話やな」

「うん」

またメールする、と言ったきり鷺沼さんからは連絡がなかった。半年前みたいな高揚感はないけれど、結婚した相手のことを考えるだけで落ち込むくせに結局はしょっちゅう携帯電話を確認してしまう自分が、鷺沼さんに対してどうしたいのかよくわからなかった。良太郎のことにしても、話していて楽しいしもっと話したいとは思うけれど、それが酔っぱらってべたべたしていたときの感覚とつながるとも思えなかった。

あー、と頭の上で声がして、見ると古い瓦《かわら》屋根の二階にカラスがいた。屋根の縁から隣のビルの庇《ひさし》によじ登るように上がったその動きは、鳥というより猫ぐらいの動物に近くて妙な生々しさがあった。同じように見上げていた智佐が言った。

「カラスって、百年ぐらい生きるらしいで」

「うそ。妖怪《ようかい》やん、そんなん」

「ほんまやって。鳥って長生きやねんから。実家の隣のオウム、二十年ぐらい生きてるもん」

智佐はむきになって甲高い声で主張した。カラスは庇から少し飛び上がり、電柱のてっぺんに止まった。

「だからって百年はないわ」

「いやでもほんま長生きやねんって。だから賢いんちゃうん」

えー、と言いつつ、電柱のてっぺんで動かないカラスをまた見上げた。百年とまではいかなくても、五十年あのカラスが生きているとしたら、わたしが探している風景を知っていることになる。あの黒い目で、焼け跡だったこの街にどんどん建物が建ってたくさんの人がやってきて店を作ったり潰《つぶ》したりしてきたのを、ずっと見てきたことになる。しかも、あの空中写真みたいに上空から。そうだとしたら、見てきた景色をわたしに教えてほしかった。わたしが探しているものが、目の前にいるあの黒い鳥の黒い目の中にあるかもしれない。すぐ近くにいるのに、なんで手が届かへんのやろう。カラスは、電柱の上からこっちを見ていた。その目で今、わたしを見下ろしている、と思ったら、カラスは大きな羽を持ち上げるように飛び立ち、黒い影になって白い空を横切っていった。

8

薄い板で囲まれた狭い小部屋で、お好み焼きが来るのを待っていた。入り口の半分の高さまで掛けられた暖簾の下から、通路を行ったり来たりするお店の人と向こう側の座敷にいるカップルが見える。

「どうりで年の割に若さがないと思ったわ」

隣でグレープフルーツ酎《ちゅう》ハイを飲んでいる智佐の肘や肩がわたしに当たるくらい狭くて、大柄な人だとこの部屋には入れないんじゃないかといらない心配をしてみる。生ビールのジョッキを握ったまま、向かいで百田さんは壁に寄りかかっていた。壁には太いマジックインキで書かれたお好み焼きのメニューと、ススキの刺繡《ししゅう》された丸い額がかかっている。

「ごめんねー、二回続けて。なんで結婚してんのに合コンなんかくるんやろ。いや、別に来てもいいけど、それやったら楽しませてもらった分、全額払え」

このあいだの合コンで美樹ちゃんにまとわりついていた黒いTシャツの人の嫉妬《しっと》深い彼女が、美樹ちゃんを逆恨みして嫌がらせの電話をかけてきたことから、あと二人が既婚者で、しかも智佐としゃべっていた人は五歳の子どもがいることがわかって、そのお詫《わ》びに百田さんがお好み焼きをおごってくれることになった。見合いじゃないいんやしいいよ、と言ったのだけれど、百田さんが気が済まないと言うしお好み焼きも久しぶりだったからいっしょに食べることにした。

グレープフルーツ酎ハイを半分まで飲んで、わたしは聞いた。

「智佐、あの人から連絡あったん？」

「うーん、またごはん行きましょとかメール来たけど、まあ挨拶《あいさつ》みたいな感じ？」

「結局、歌ちゃんの隣の子だけがフリーやったんやねえ。あのあとどう？」

「連絡先、聞いてない」

なにも載っていないのにただ熱くなっていく鉄板を前にして、やっぱり合コンなんて行き慣れないし向いてないのかな、と思った。お好み焼きが来る前にもうジョッキのビールを飲み干そうとしている百田さんは、まだ申し訳なさそうな顔をしていた。

「せっかく、智佐ちゃんに若い人をと思ったのに、若くても子持ちやとはね」

「ねえ。呪《のろ》われてるのかな」

と言う智佐のその笑い方が、なんだかわざとらしい軽さがあるというか、上の空のような感じもして気になったけれど、ちょうどお好み焼きが運ばれて来た。愛想のいい茶色い髪の女の子が、ちりとりみたいな形の鉄板に載せてきたお好み焼きを、次々とテーブルの鉄板に移した。スジネギこんにゃくと豚キムチモダンと、それから梅しそ豚玉という初めて見たメニューを頼んだ。女の子が、マヨネーズはかけていいですか？　などと聞きながら手際《ぎわ》よく塗っていくソースが鉄板に落ちると、いっぺんに煮えたっていい匂《にお》いがする。

「これ、めっちゃおいしい。発見やわ」

いちばんに梅しそ豚玉を食べた智佐が声を上げた。わたしと百田さんもすぐにお皿に取った。

「ほんまや。すごい合うねえ」

「今度家でやってみよ」

店の奥でついているらしいテレビから、小さく音楽が聞こえてくる。最近よく耳にするヒット曲みたいだけれど、誰なのか知らない。スジネギこんにゃくをコテで切り分けながら、智佐が言った。

「あのな、わたし、彼氏できてん」

「え、いつ？」

反射的に声が出た。

「昨日」

そこで、急に智佐の表情がにやけた。わたしはコテと割り箸《ばし》を握ったまま、身を乗り出して聞いた。

「誰？　知ってる人？」

「原田くん」

「原田くんって、原田くん？　最近会ってたん？」

　五年ぐらい前に智佐が別のセレクトショップで働いていたときの同僚の原田くんは、そのころはわたしもよく遊んでいたけれど、もう三年は会っていなかったし智佐から名前を聞いたこともなかった。

「去年、直子の結婚式で会《お》うて、それからまあ、たまにごはん行ったり。今は、三宮で洋服屋してんねん」

「知らんかった」

「実は、その結婚式のときから、なんか、好きみたいなこと言われてて」

　智佐はおとなしい声で少しずつ説明した。いつもかなり年の離れた人とのことをさばさばと話しているのとは、全然違っていた。鉄板の上でほったらかされているお好み焼きのソースが、順調に焦《こ》げていく。さっきまで熱気で揺れていた鰹節《かつおぶし》も、もうおとなしくなった。

「わたしがつき合ってる人おるのはわかってたから、あんまりしつこく言うては来《け》えへんかってんけど、昨日二か月ぶりに会って……」

「会って、どうしたん？」

「内緒」

わたしと百田さんの目を順番に見て、智佐は笑った。わたしは智佐の肩を押した。

「なによ、肝心なとこで」

「だって、なんか恥ずかしいもん」

智佐は必要以上にコテに力を入れて、とっくに切れているスジネギこんにゃくをきこきこと分けた。それから、なにも言わないでわたしと百田さんのお皿に載せた。

「へえー、そうなんや」

「写真、ないの？」

百田さんが、スジネギこんにゃくをほおばりながら聞いた。

「えー、あるよ」

智佐はキラキラした石をいっぱいくっつけたオレンジ色の携帯電話を出してきて、

開いた。すでに待ち受け画面が二人の写真になっていた。久しぶりに見た原田くんは、髪が黒くなって少し太ったみたいだったけど、豪快に笑う顔は変わってなかった。百田さんは、写真の智佐と目の前の智佐を交互に見ていた。

「もうすでにめっちゃ仲良さそう。いいなー」

「そうかな。同い年の子とつき合うの、高校以来やからなんか緊張するわ」

そのころはわたしも知らないから、智佐が友だちみたいな男の子とつき合うなんて、こっちまで照れくさいように思った。スジネギこんにゃくは端の焦げたところがおいしかった。口元も目尻《めじり》も弛《ゆる》んだままの智佐を、わたしは、かわいいなと思いながら言った。

「どうしたん、急に」

「なんでやろな。なんか、うれしかったし」

そう言う智佐はほんとうにうれしそうで、お酒は強いはずなのにグレープフルーツ酎ハイ一杯ぐらいでいい加減になっていた。暖簾の向こうを急ぎ足で通ったおばちゃんのほうの店員さんを呼び止めて、三人それぞれお代わりを頼んだら、びっくりするような早さですぐ持ってきた。壁の裏側から、おじさんグループの大きな笑い声が響いてきて、こんな狭いところに何人いるんやろうと思った。

「そうかあ」

わたしは繰り返して言った。百田さんも合コンのことは忘れてしまってるみたいになっていた。

「いいねえ、やっぱり人のそういう話は」

「うん。よかったね」

わたしは大きく頷《うなず》いた。百田さんは、ビールを半分ぐらい一気に飲み、店の中のほうを見た。

「聞いてたら、早く帰りたくなってきたなー」

「まーちゃん、待ってるもんね」

智佐が彼氏の名前を甘えた声で言った。

「うん」

にやっと笑った百田さんは、鉄板の熱で火照《ほて》った頬に手を添えて、

「だって、かわいいねんもん」

と言った。

「聞いてないって」

智佐とわたしが言い返したのは同時だった。百田さんは照れ隠しみたいに、コテを握るわたしの手元を見て言った。

「そこ、あんまりソースついてないよ」

「うん。このモダン焼きに入ってるそばのあんまり味のせえへんとこが好きやねん」

わたしはまだ卵色をしているそばのところばかり選んで取っていた。

「じゃあ、こっちもあげる」

智佐が自分のお皿に載っていた分をわたしのお皿に無理に移した。

「ありがと」

智佐はうれしそうでおいしそうで楽しそうだった。通路を挟んで向かいの席にいたカップルが出てきた。顔は見えなかったけれど、店の中なのに手を繋《つな》いでいた。

百田さんを地下鉄の入り口まで送ってから、智佐の自転車の後ろに乗って御堂筋を北へ走った。原田くんの話を聞きたかったので、久しぶりに玉造《たまつくり》の智佐のところに泊まりに行くことにした。

御堂筋沿いの歩道は、少し引いてきたとはいえまだまだ人が歩いていて、自転車が多く停められている道だと通り抜けるのに一苦労で、荷台に横向きに座っているわたしはときどき膝《ひざ》や靴の先を自転車や擦れ違う人にぶつけてしまった。銀杏《いちょう》並木の下の側道には、タクシーがぎっしり並んでなかなか来ない客を待ち続けていた。道頓堀と交差するところで、智佐がよろけていったん自転車を降りた。青い光でそこら中が明るく、振り返るとネオンがいつものように瞬《またた》いていた。ショウウィンドウだけ明かりがついている、もう閉店したドルチェアンドガッバーナに飾られた花柄のワンピースや刺繍の入ったデニムを、めちゃめちゃかわいいけど着られへんなあ、と二人で言い合い、自転車に乗り直した。三津寺筋の角のタリーズコーヒーでは、テラス席にラテン系の外国人が陣取っていて、大柄な女の人がとても短いキャミソールを肉に食い込ませているのが見えた。

智佐が、じゅうぶん聞こえているのに大声で言う。

「わたし、ベリーダンス習いに行こうかなあ」

わたしも負けないくらいの大きい声で言い返した。

「あれ、腰痛めそうやで」

「あの衣裳《いしょう》着てみたくないー？」

智佐の声は、テラス席の人たちに負けないくらい陽気で、わたしはその背中でちょっと笑った。

周防町《すおうまち》の交差点を越えると、多少人通りが少なくなり、自転車は順調に進むようになった。とても広い御堂筋の向こうには、アップルストアの銀色の外壁が見え、林檎《りんご》のアイコンが白く光っていた。振り返ると、UFJ銀行のサービスロビーが誰もいないのに、何台も機械を並べて明るかった。大丸心斎橋店の外壁はライトアップされ、古い煉瓦《れんが》がいっそう暖かい色に見えた。オープンしたばかりのそごうは、波打つデザインの壁が青白く輝いていて、この場所が永遠に工事中じゃなくてちゃんとまた百貨店ができてよかったと、心から思った。その先に、ショーメとカルティエとクリスチャン・ディオールのあるビルが、おもちゃのガラスブロックみたいな壁の中からきらきらと光をまき散らしていた。その下を、仕事をしたり買い物をしたりごはんを食べたりした人たちが、どこか行きたい場所へ向かって歩いていく。

わたしは、この街がほんとうに好きだと思った。

「歌ちゃん」

長堀通りまで出てシャネルを曲がったところで、智佐の声が聞こえた。

「良太郎のとこ、行ってみいへん？」

「なんで」

「通り道やし」

ソニータワーの前の信号で停まった智佐は、振り返って笑った。

谷町筋まで緩やかな坂を、結局途中から自転車を押して歩き、良太郎に言われた通りに短くて急な坂を上がると、良太郎の住んでいる家はすぐにわかった。大阪の中心部にしては古い家が残っている一角で、植木鉢や室外機で余計狭い路地を入って二軒目の、比較的間口が広くて二階が低い家だった。

「ごめんな。わざわざ来てもろたのに」

良太郎は路地の入り口まで出てきた。珍しくジャケットを着て、手には大きめのナイロンの鞄《かばん》を提げていた。智佐が電話をしたら、これから東大阪の実家に帰るところだと良太郎は言ったのだけれど、勢いで来てしまった。

「ううん。こっちこそ、急に言うて」

「今度は家見せてな」

上機嫌の智佐は、夜になるとびっくりするくらい静かになるこのあたりに自分の声が響き渡っているのも気にならないみたいだった。

「鼠《ねずみ》の出る家も、いつもやったら上がってもらってもええねんけど」

良太郎が振り返った家は、一階の表が全部ガラスの引き戸になっている作りで、カーテンが引かれているその奥は広めの土間になっているんだろうと、京都で友だちの住んでいた似たような古い家を思い浮かべた。

「もう子ども寝てもうてるし」

「そら、十一時やもんなあ。ごめんごめん」

ごめんと言いながら、智佐は声のトーンを下げなかった。すぐ前の自転車屋らしい家の二階の窓には、テレビの画面が映って短い間隔で青や白の光が切り替わっていく。

「実家って、今から？」

聞くと、良太郎はわたしたちが上がってきた坂の下を示した。

「あれ、弟の車で」

角には水色のキューブが室内灯を点《つ》けたまま停まっていて、スーツを着た男の人が運転席にいるのが見えた。

「あ、もう出るとこやねんや。なんか、用事で？」

「ああ、うちのお父さんの七回忌やねん、明日」

良太郎は早口でそう言い、首の後ろを掻《か》いた。

「あ、そうなんや」

とりあえずそう答えたわたしの横で、智佐もなんて返していいのか迷っているのがわかった。

「朝、九時とかで、なんや用意もせなあかんし」

「そうなんや。大変やね」

キューブを見ると、運転席の男の子はこっちに気がついたみたいで、短く頭を下げた。わたしは、初めて良太郎のことを少しだけ知った気分で、それはうれしいというのでも戸惑うというのでもなくて、もっと落ち着いたものだった。

「いや、おれはなんも」

良太郎もキューブのほうを見て、軽く手を挙げた。もう行くという合図かもしれない。良太郎の足下の室外機が、がったんと大げさな音を立てて回り始めた。車輪の大きな自転車に乗ったおじさんが、わたしたちをじろじろ見ながら通り過ぎた。その後ろ姿を見送って、良太郎が言った。

「だから明日はあかんねんけど」

その顔は、笑っていなくてただわたしを見ていた。

「あさって、また昼飯食わへん?」

すぐそばで智佐がわたしの顔を見ているのがわかっていたけれど、わたしは智佐を見ることができなかった。

「うん」

軽く頷くと、良太郎はちょっと笑い、

「またメールするわ」

とだけ言って、わたしたちと並んで坂を下りた。良太郎といっしょに過ごすことを、当然のことのように感じている自分を、わたしはためらわないで受け入れていた。

9

乗りにくい大西さんの自転車を借りて、人が多いのにわざわざ御堂筋を走った。昼前から少し晴れてきて、雲の切れ間に水色が見えることもあった。御堂筋は込んでいて、交差点で曲がりきれない車のあいだを、面倒そうな顔をして仕事や買い物の途中の人たちがすり抜けて行った。

昨夜、阪神タイガースが優勝して、道頓堀のあたりはやっぱり大騒ぎになっていたみたいで、朝からシュガーキューブスに来るお客さんはみんなその話ばかりしていた。余韻というかなにかおもしろいことがないかと思って、道頓堀川のところまで遠回りしてみたけれど、いつもより多少ごみが多い気がするのとテレビカメラを担《かつ》いだ人を見かけたくらいで、なにも変わったところがなかったのでちょっと残念に思いながら御堂筋を渡って一本裏の道に入り、良太郎と待ち合わせをしているビッグステップの裏手にあるカフェへと、苛立《いらだ》っている車をよけながら細い道路を進んだ。左に曲がると、その先に青いトラックが停まって周りに赤いコーンが立ててあり、警備員が通行者を誘導していた。建物を壊しているときの、振動と音が響いたり止《や》んだりしていた。だからこの通りだけ車が少なかったのか、と思いながら自転車を降りると、ちょうど肩から掛けた鞄の中で携帯電話が振動しているのに気がついた。手前にある一時預かりの駐車場の入り口の脇《わき》へ自転車をよけて電話を見ると良太郎からだった。出ようとした途端に切れてしまったので、かけ直した。

「ああ、ごめん、おれちょっと遅れそうやねん。もしかして三十分ぐらいかかるかもわからんねんけど、ウタさん、昼休み終わるやろ?」

小さな黄色い重機のキャタピラが白いボードの陰に見え、一段と大きな音を響かせたせいで良太郎の声は聞こえにくかった。間口が三メートルほどの狭い敷地で建物の解体工事をしているらしく、先週通ったときにはなんにも変わったところはなかったのになんの建物があったっけ、と工事現場を見るたびにいつも思うことを思いながら、わたしも大きい声で話した。

「どっちにしてもお昼食べてるし、来れそうやったら来て」

「わかった。また、電話かメールするわ」

「うん」

集金でなにかあったのかな、とこのあいだ聞いた、アダルトグッズショップのおっちゃんから手数料を割増して払うからビデオの販売せえへんかと持ちかけられた話を思い出して一人でちょっと笑い、進みかけるとまた電話が振動した。鷺沼さんからのメールだった。

店に行ったら休憩中って言われたけど、今どこ？　時間あったらお昼食べませんか？　ぼくは今日の夜帰らないといけないので。

画面に並んだ文字を、五回も読み直した。なんでこんなに勝手なことを言われているのに、行きたい気持ちが湧《わ》いてくるんやろう、と思った。今会わなかったらこのあともう会うことがないかもしれない、と、もし友だちが同じ状況でそんなことを言ったら絶対注意するようなことを思い、しばらく画面を見つめたままそこに立っていたけれど、行くとも行かないとも文字を打つことができなかった。

いったん鷺沼さんのメールの画面を消すと、携帯電話は14:14とキリのいい数字を並べた。良太郎にもう一度電話してみようか、なんていうことを考えている自分がばからしくなり、わたしは携帯電話をたたんで、とりあえずこのうるさい場所から移動しようと思った。自転車を押して歩きかけると、半分開けてある囲いの向こうの、壊されている建物が目に入った。重機は端で停まって運転している人が振り向いて大声で、トラックの前にいた人と話を始めた。もう壁は残っていなくて、鉄筋の入ったコンクリートの塊がごろごろと積み重なっていた。埃《ほこり》が立っているところに作業服にヘルメットの男の人がホースで水を撒いていた。よく見ると、その向こう隣にあった建物ももう解体が終わったようで、小さな四角い区画が更地になっているのが見えた。わたしは解体されたコンクリートの外壁に残った水色のタイルを見て、ここになにがあったのか思い出そうとしながら、トラックの脇をぐるっと回り、隣の細い更地の前に出た。黄色と黒の金網の衝立《ついたて》で囲まれたその敷地の横には、路地というか、隣の古いマンションとの境の通路があり、その手前のこのあいだまであった建物に隠れていた場所が見えた。右側は四階建ての古いビルの裏側がむき出しになり、ひびの入った外壁には前に立っていた建物の屋根のあとが薄黒く残っていた。そしていちばん奥の正面には、真っ赤な薔薇《ばら》に覆《おお》われた二階建ての家があった。

わたしは、歩道に突っ立って、その家を見た。二階の木枠の窓は割れているところがあり、人の気配が消えてから長い時間が経《た》っているようだった。それなのに、家中に薔薇の蔓《つる》が這《は》い上がり、今までに見たことがないくらいびっしりと赤い大きな花をつけていた。路地の奥なのに、裏が駐車場になっているせいでそこだけ陽が当たっていて、窓の隙間《すきま》からも蔓が伸びて咲いているいくつもの薔薇を鮮やかな赤に光らせていた。空き家に巻きついた薔薇は、玄関脇のプラスチックの漬物樽《だる》から生えていた。漬物樽には割れ目が入り、土がこぼれていた。周りに置かれたままの同じような樽には、土だけが残っていた。もらった写真のあの家と、違うのはわかっていた。路地との位置も違うし、玄関も窓も屋根も違う形だった。だけどこの薔薇の色があの写真の薔薇の色なのだと思った。こんなに深くて鮮やかな赤い薔薇を、わたしは初めて見た。

また、重機がコンクリートを壊す音が響き始めた。明日から十月になる。

書いてみたくなる小説

川上弘美

柴崎さんの小説を読むと、いつもわたしは、「小説を書いてみたいなあ」という気分になります。

実際に今すでに自分は小説など書いて毎日を過ごしているのにもかかわらず、です。

とても不思議です。

どうしてなんだろう。

柴崎さんの小説は、では、どんな小説なのか。

考えるために、今まで柴崎さんの出した本を、いっぺんに読んでみました。読み返すものもあったし、初めてのものもありました。読み返したものもふくめて、

「面白いなあ、こういうものを読んだことは今まであんまりなかったなあ」と、たいそう感心しました。

感心した点を、いくつか挙げてみます。

出てくる人たちがいやな人たちじゃない。
出てくる人たちはいやな人じゃないけれど、いわゆる「いい人」でもない。
年の違う人が出てきても、作中の人たちは年の差を言い立てたりしない。
環境や性格の違う人たちが出てきてもそれぞれが違いを言い立てたりしない。
作中の人たちが作中の人たちの話をちゃんと聞く。
大阪に行きたくなる。
大阪ではない場所が書いてあると、そこにも行きたくなる。
都会が描かれていても「都会」っぽい都会にみえない。
かといって「なつかしい匂《にお》いの町」というのではない。
女の子たちがかわいい。
男の子たちもかわいい。

お互いの呼び方（名前を呼びつけにしたり、さんづけしたり、くんづけだったり、あだ名だったり）に、必然性がある。その人にはその呼び方以外はもう考えられない。

甘いものがおいしそう（わたしは甘いものに興味がないので、小説の中に甘いものが出てきてもたいがいは無関心なのに）。

作中の人のお金の使い方が自然。外食をする頻度とか、お店の選び方とか。

いくつも挙がりました。

この中の、前半（男の子たちもかわいい）までは、柴崎さんが小説をどう書こうかという意向から出てくる特徴なのだと思われます。

どんな意向なのか。

それはたぶん、何かを最初から決めつけない、という意向だと思います。

ものごとを全肯定する、ということとはぜんぜん違います。否定したいようなものごとがあっても、まっこうからがあがあ言い立てたくない。それよりも、否定したいものの中に隠れている面白いもの、不思議なもの、きれいなもの、こわいもの、否定したいものそのものを、じいっとよく眺めるために、まずは目を見開いてていねいに観察してみよう。そういう意向なのだと思うのです。

決めるのは、それら全部をしっかり観察しおわってからでいいよ、と。そしてさらには、観察しおわってしまうと、決めつけたいほどの強固なものはこの世の中にはほとんどないことがわかってくるんじゃないの、と。

そんな柴崎さんの声が聞こえてくるようです。

後半（お互いの呼び方）から後に挙げた特徴は、柴崎さんの小説の技術だと思われます。

それ、へん。

読み手にそう思わせないための、技術です。

つじつまのあわせ具合、ともいえますし、小説の世界の整合性のかたちづくり具合、という言いかたもできます。センス、という言葉もあてはまるかもしれない。技術と言っても、小手先のものではありません。

どんなにつじつまをうまく合わせても、整合性をがんばってつくっても、「やっぱりそれ、へん」と思ってしまう場合もあるからです。

へん、ではなく、そうだなあ、と思ってもらうためには、小説家がその小説に向けた意向が「そうだなあ」と思われる必要があるような気がします。とすると、後半の「技術」は、前半の「意向」と、深くからまりあって切り離せないもの、ということになりましょう。

さて、柴崎さんの小説を読んで「小説を書きたいなあ」と思ったわたしは、それでは「柴崎さんのような小説」を書けるでしょうか。

答えは簡単です。

書けません。

だってわたしは柴崎さんではないのですから。

柴崎さんの小説は、柴崎さんという作者の頭と体、意向と技術、その他いろいろ(その時のできごとや昔のできごとや今の日本や世界のいろいろ)が、びっくりするような偶然でそこに存在して、書かれたものです。

昨日柴崎さんが一時間多く眠っていたなら、今日柴崎さんの書く文章は、違う文章になるかもしれない。おとといある土地で起きた交通事故がふせげたら、昨日柴崎さんの書いた文章は違う文章になっていたかもしれない。

そのような、あやうい偶然と均衡から、小説はできあがっているのです。

そういえば、奇《く》しくも柴崎さんの小説それ自体が、この世界の「あやうい偶然と均衡のうつくしさ」を書いているではありませんか。

柴崎さんという作者がいて、よかった。

今、わたしが生きているこの時代にいて、よかった。

そうでなければ、『その街の今は』は、決してこの世に生まれてこなかった。

たくさんの偶然と均衡が柴崎さんにこの小説を書かせてくれて、ほんとうによかったと思います。

（平成二十一年四月、作家）

この作品は平成十八年九月新潮社より刊行された。

その街《まち》の今《いま》は

新潮文庫　し－64－1

平成二十一年五月一日発行
平成二十六年八月五日二刷

著者　柴《しば》崎《さき》友《とも》香《か》

発行者　佐藤隆信

発行所　株式会社　新潮社
郵便番号　一六二―八七一一
東京都新宿区矢来町七一
電話　編集部(〇三)三二六六―五四四〇
　　　読者係(〇三)三二六六―五一一一
http://www.shinchosha.co.jp

価格はカバーに表示してあります。

乱丁・落丁本は、ご面倒ですが小社読者係宛ご送付ください。送料小社負担にてお取替えいたします。

印刷・大日本印刷株式会社　製本・加藤製本株式会社

ISBN978-4-10-137641-7 C0193